DU MÊME AUTEUR

Romans
Cris, Actes Sud, 2001 ; Babel n° 613.
La Mort du roi Tsongor, Actes Sud, 2002 (prix Goncourt des lycéens, prix des Libraires) ; Babel n° 667.
Le Soleil des Scorta, Actes Sud, 2004 (prix Goncourt) ; Babel n° 734.
Eldorado, Actes Sud / Leméac, 2006 ; Babel n° 842.
La Porte des Enfers, Actes Sud / Leméac, 2008 ; Babel n° 1015.
Ouragan, Actes Sud / Leméac, 2010.
Pour seul cortège, Actes Sud / Leméac, 2012 ; Babel n° 1260.

Théâtre
Combats de possédés, Actes Sud-Papiers, 1999.
Onysos le Furieux, Actes Sud-Papiers, 2000.
Pluie de cendres, Actes Sud-Papiers, 2001.
Cendres sur les mains, Actes Sud-Papiers, 2002.
Le Tigre bleu de l'Euphrate, Actes Sud-Papiers, 2002.
Salina, Actes Sud-Papiers, 2003.
Médée Kali, Actes Sud-Papiers, 2003.
Les Sacrifiées, Actes Sud-Papiers, 2004.
Sofia Douleur, Actes Sud-Papiers, 2008.
Sodome, ma douce, Actes Sud-Papiers, 2009.
Mille orphelins suivi de *Les Enfants Fleuve*, Actes Sud-Papiers, 2011.
Caillasses, Actes Sud-Papiers, 2012.
Daral Shaga suivi de *Maudits les Innocents*, Actes Sud-Papiers, 2014.

Récits
Dans la nuit Mozambique, Actes Sud, 2007 ; Babel n° 902.
Les Oliviers du Négus, Actes Sud / Leméac, 2011 ; Babel n° 1154.

Littérature jeunesse (album)
La Tribu de Malgoumi, Actes Sud Junior, 2008.

Beau livre
Je suis le chien Pitié (photographies d'Oan Kim), Actes Sud, 2009.

© ACTES SUD, 2010
ISBN 978-2-330-02644-8

LAURENT GAUDÉ

OURAGAN

roman

BABEL

pour Alexandra

Le vent hélas je l'entendrai encore
nègre nègre nègre depuis le fond
du ciel immémorial

   AIMÉ CÉSAIRE, *Corps perdu.*

(…) lorsque tout est achevé, on ré-
pond avec l'ensemble de sa vie aux
questions que le monde vous a po-
sées. Les questions auxquelles il faut
répondre sont : Qui es-tu ? Qu'as-tu
fait ?… A qui es-tu resté fidèle ?

   SÁNDOR MÁRAI, *Les Braises.*

I

UNE LOINTAINE ODEUR DE CHIENNE

Moi, Josephine Linc. Steelson, négresse depuis presque cent ans, j'ai ouvert la fenêtre ce matin, à l'heure où les autres dorment encore, j'ai humé l'air et j'ai dit : "Ça sent la chienne." Dieu sait que j'en ai vu des petites et des vicieuses, mais celle-là, j'ai dit, elle dépasse toutes les autres, c'est une sacrée garce qui vient et les bayous vont bientôt se mettre à clapoter comme des flaques d'eau à l'approche du train. C'était bien avant qu'ils n'en parlent à la télévision, bien avant que les culs blancs ne s'agitent et ne nous disent à nous, vieilles négresses fatiguées, comment nous devions agir. Alors j'ai fait une vilaine moue avec ma bouche fripée de ne plus avoir embrassé personne depuis longtemps, j'ai regretté que Marley m'ait laissée veuve sans quoi je lui aurais dit de nous servir deux verres de liqueur – tout matin que nous soyons – pour profiter de nos derniers instants avant qu'elle ne soit sur nous. J'ai pensé à mes enfants morts avant moi et je me suis demandé, comme mille fois auparavant, pourquoi le Seigneur ne se lassait pas de me voir traîner ainsi ma carcasse d'un matin à l'autre. J'ai fermé les deux derniers boutons de ma robe et j'ai commencé ma journée, semblable à toutes les autres. Je suis descendue de ma chambre avec lenteur parce que mes foutues jambes sont aussi raides que du vieux bois, je suis sortie sur le perron et j'ai marché jusqu'à l'arrêt du bus. Moi, Josephine Linc. Steelson, négresse depuis presque cent ans, je prends le bus tous les matins et il faudrait une fièvre des marais, une de celles qui vous tordent le ventre et vous font suer jusque dans les plis des fesses, pour m'empêcher de le faire. Je monte d'abord dans celui qui va jusqu'à Canal Street, le bus miteux qui traverse le Lower Ninth Ward, ce quartier où nous nous entassons depuis tant d'années dans des maisons construites avec quatre planches de bois, je monte dans ce bus de rouille et de misère, parce que c'est le seul qui prenne les nègres que nous sommes aux mains usées et au regard fatigué pour les emmener au centre-ville, je monte dans ce bus dont la boîte de vitesses fait un bruit de casserole mais j'en descends le plus vite possible, six stations plus loin. Je pourrais aller jusqu'à Canal Street mais je ne veux pas traverser les beaux quartiers dans ce taudis-là. Je descends dès que les petites baraques du Lower Ninth laissent place aux maisons à deux étages du centre, avec balcon et jardin, je m'arrête et j'attends l'autre bus, celui des rupins. C'est pour être dans celui-là que je me lève le matin. C'est dans celui-là que je veux faire le tour de la ville, un bus de Blancs qui me dévisagent quand je monte parce qu'ils voient tout de suite que je suis du Lower Ninth, c'est celui-là que je veux et si je me lève si tôt, c'est que je veux qu'il soit bondé parce que, lorsque je monte, cela me plaît d'avoir devant moi, en une double rangée un peu blafarde, tous ceux qui vont s'épuiser au travail. Je m'assois. Et je le fais toujours avec un sourire d'aise, n'en déplaise aux jeunes qui me regardent en se demandant quel besoin a une vieille carne dans mon genre de prendre le bus si tôt, encore qu'il n'en soit pas tant que ça à se demander ce genre de choses car la plupart s'en foutent, comme ils se foutent de tout. Je le fais parce que j'ai gagné le droit de le faire et que je veux mourir en ayant passé plus de jours à l'avant des bus qu'à l'arrière, tête basse, comme un animal honteux. Je le fais et c'est encore meilleur lorsque je tombe sur des vieux Blancs. Alors là, oui, je prends tout mon temps. Car je sais que, même s'ils font mine de rien, ils ne peuvent s'empêcher de penser qu'il fut un temps, pas si lointain, où mon odeur de négresse ne pouvait pas les importuner si tôt le matin, et j'y pense moi aussi – si bien que nous sommes unis, d'une pensée commune, même si chacun fait bien attention de ne rien laisser paraître, nous sommes unis, ou plutôt face à face – et je gagne, chaque fois. Je m'assois le plus près de là où ils sont, en posant mes fesses sur un morceau de leur veste si possible pour qu'ils soient obligés de tirer dessus et que leur mécontentement croisse encore. Jamais aucun de ces vieux Blancs ne m'a laissé sa place lorsqu'il est arrivé que le bus soit plein. Une fois seulement, alors que j'avançais dans la travée centrale, un homme m'a souri, s'est déplacé pour aller côté fenêtre et m'a fait signe de m'installer à côté de lui, sur la place qu'il libérait. "Tu n'as pas peur des vieilles vaches noires, fils ?" j'ai lancé, pour rire. Il m'a répondu en souriant : "Nous nous sommes battus pour cela." C'est depuis ce jour que lorsque j'ai besoin d'un clou, ou d'une ampoule – ce qui n'arrive pas si souvent –, je traverse la ville pour aller chez Roston and Sons, le quincaillier. Car ce jeune blanc-bec est le cadet du vieux Roston et je me fous que le clou soit plus cher qu'ailleurs, j'y vais au nom des vieilles luttes et du goût savoureux de la victoire. Moi, Josephine Linc. Steelson, négresse depuis presque cent ans, je dois être une bien grande pécheresse car, je l'avoue franchement, je ne me lasse pas d'avoir gagné. Je fais le tour de la ville en bus chaque matin et c'est comme de faire la tournée de mon empire. Les chauffeurs, je les connais. Ils m'aiment bien et me saluent avec politesse. Ce jour-là, donc, comme tous les autres depuis si longtemps, je suis montée dans le premier bus. Il y avait une place au premier rang à la droite du chauffeur et je m'y suis mise. "Une belle journée qui s'annonce, hein, miss Steelson ?…" a-t-il lancé. Et comme je n'aime pas parler pour ne rien dire, comme l'avis des autres m'importe peu, j'ai répondu, en articulant bien pour que tous les gens assis derrière entendent, j'ai répondu : "Ne crois pas ça, fils. Le vent s'est levé à l'autre bout du monde et celle qui arrive est une sacrée chienne qui fera tinter nos os de nègres…"

O la fatigue des jours qui lui pèse sur les tempes, dès le réveil, à l'instant même où il ouvre les yeux, découvrant le plafond jauni de la petite chambre de ce motel du Texas dont il n'est pas sorti depuis quatre jours. O l'épaisse touffeur de l'air et la lourdeur du corps. Il regarde autour de lui, sent, sur sa nuque, le contact désagréable de l'oreiller synthétique mouillé de sueur et sait qu'encore une fois il sera rattrapé par cette fatigue qui le harasse et le laisse, jour après jour, aussi faible qu'une ombre. La femme, à l'extérieur, celle qui vient de taper à la porte et de le réveiller, hésite maintenant, car il n'y a plus de bruit, elle tend l'oreille pour voir s'il se lève, s'il a entendu, il doit être tard, bien plus tard qu'il ne le pense, il ne sait plus, le temps ne l'intéresse plus, il n'y a que cette fatigue qui ne fait pas de différence entre le jour et la nuit, il voudrait qu'elle s'en aille mais il l'entend demander, de l'autre côté de la porte, avec une voix un peu navrée mais résolue : "Monsieur Keanu Burns ?…" Et il ne répond pas, il n'en a pas la force ni l'envie, il ne sait plus qui porte ce nom, il laisse le silence répondre et elle finit par partir. Il l'entend s'éloigner avec soulagement, probablement penaude, il sait qu'elle reviendra mais il est seul pour quelque temps encore, alors il s'assoit sur le lit, torse nu, dans l'intention d'aller jusqu'à la petite salle de bains aveugle se passer un peu d'eau sur le visage, mais il ne peut pas et reste là, comme une masse endolorie, la tête entre les mains. Il ne bouge plus. Il pense toujours aux mêmes visages, aux mêmes bruits, aux mêmes cris. Depuis quatre jours qu'il est parti, la plate-forme semble le suivre, pis encore, elle ne cesse de croître en lui. Il prie du bout des lèvres. Oh, qu'il lui soit donné d'oublier un peu. Juste un peu. Que certains visages s'effacent. Que le bruit des machines ne résonne plus en lui. Mais il n'y a pas de pitié et il ne peut que jurer, maudire et cracher sur cette mémoire qui enregistre tout et vous repasse ensuite, pendant des jours et des nuits, ce que vous tentez de fuir. Son corps sue, dès le matin, de cette peur-là, un torse large et musclé qui n'est pas celui d'un homme fragile mais qui, dès le matin, se perle de sueur parce qu'il sent qu'il n'est d'aucune force face à cette torture-là. Il n'a plus de jambes, plus de muscles. La plate-forme est là. Il se souvient du jour de son arrivée, lorsque chaque bruit le faisait sursauter, ce jour qu'il avait passé à essayer de retenir tout ce qu'on lui disait, les consignes, les conseils. L'impression d'être monté sur un énorme vaisseau de tuyaux et d'huile, un grand monstre qui vit dans un bruit constant de moteur et de pompe. Les hommes s'affairaient, chacun à leur tâche – silhouettes casquées, emmitouflées dans des combinaisons imperméables, et il se demandait comment ils faisaient pour se reconnaître les uns les autres. C'était avant qu'il ne découvre les entrailles de la plate-forme, là où les corps sont presque nus tant il fait chaud. L'odeur d'essence, mêlée à celle du vent et de la mer, et l'autre, qu'il avait mis du temps à reconnaître, celle du pétrole qu'on ne voit jamais. Au début, lorsqu'il était parti – lorsqu'il avait roulé toute une nuit pour mettre le plus de distance entre Rose et lui, lorsqu'il avait décidé de rouler jusqu'au Texas et d'aller proposer sa force de travail à un puits de forage –, il s'était imaginé qu'il aurait les mains dedans en permanence, le jour, la nuit, le visage plein de ce jus écœurant qui sortirait des fissures de la terre, épais et lourd. Il pensait à la ruée des premiers foreurs. Le pétrole comme seule obsession, jusqu'à en avoir sous les ongles, dans les cheveux, et se coucher avec dans les draps. Mais les temps avaient changé. Le pétrole ne se voyait plus. Pas pour lui, en tout cas, le manutentionnaire. A lui et à ceux qui l'entouraient, on ne demandait que de manipuler d'énormes machines, de raccorder des tuyaux, de déplacer des perceuses. Parfois, bien sûr, un pipeline fuyait et le pétrole suintait mais il n'y avait pas de jaillissement joyeux, cette pluie noire qui venait tout inonder et mettait à plat par sa force sauvage les baraques de bois alentour. Non. Tout cela était couvert par un bruit constant de machine. Et puis, parfois, oh comme ce souvenir était encore précis, les hurlements d'un homme qui couvrent tout, plainte dérisoire au milieu d'un océan, d'un homme qui vient de perdre ses doigts écrasés sous une machine ou dont la jambe est bloquée sous un poids énorme. Alors tout le monde accourt mais les machines sont lentes à bouger et ce qui coule à terre n'est pas du pétrole mais du sang. Ces flaques-là ne peuvent jamais s'oublier. Ce sont elles qui l'entourent partout où il va depuis ce jour où il s'est mis à hurler au milieu de la plate-forme, sans raison, à hurler encore et sans cesse, sans qu'aucun camarade accouru pour voir s'il s'était blessé ne puisse le calmer, sans qu'aucune parole de réconfort ou aucun ordre d'un supérieur ne puisse le faire revenir à lui. Il s'était mis à hurler mais, même alors, cela ne couvrait pas le bruit de la plate-forme qui n'entendait rien, ne se souciait pas des hommes et de leurs peurs et continuait à pomper dans la mer avec une avidité infinie de machine.

"Madame Rose Peckerbye ? Etes-vous sûre de ce que vous dites ?..." La voix de la juge résonne avec une sorte d'autorité bienveillante. Rose est debout et regarde ses pieds. La juge lui laisse le temps de répondre. Rose essaie de se concentrer. Elle perçoit, à sa droite, l'avocat de Mike qui murmure des commentaires à l'oreille de son client. Il doit jubiler. Il est sûrement en train de lui expliquer que c'est dans la poche, que si elle confirme ce qu'elle vient de dire, il n'aura plus de souci à se faire et pas un sou à donner. Maintenant que Mike a compris les enjeux de la réponse, il est probablement immobile, tendu d'impatience. "Madame Peckerbye ?" répète la juge avec douceur pour qu'elle reprenne ses esprits. Elle lève les yeux et contemple le visage de cette femme d'une cinquantaine d'années qui la regarde avec une moue d'attente, comme si elle était elle-même un peu égarée. Cela fait des jours et des nuits que Rose pense à cet instant, des jours et des nuits qu'elle redoute ce juge, l'imaginant comme une créature irascible qui essaierait à tout prix de la mettre à terre. Mais elle s'est trompée. Le danger n'est pas venu de la juge. Elle sourit à son tour. Comme pour remercier la femme de la prévenance dont elle fait preuve à son égard et elle dit simplement : "Oui, madame la juge, je suis sûre." Il y a comme une rumeur dans toute la petite assemblée. Son avocat à elle – l'avocat que l'association lui a trouvé – essaie de l'attraper par la manche mais elle se dégage doucement. Comment en est-elle arrivée là ? Elle ne sait plus. Elle n'a pas vu surgir la menace. Je ne peux pas, pense-t-elle. La juge se rejette en arrière sur son fauteuil en cuir, avec un air déçu. "Très bien, dit-elle avec une voix fatiguée, vous comprendrez dès lors que les demandes de pension sont rejetées." Et elle frappe de son petit marteau, elle frappe sans vigueur, et tout est fini, la misère à nouveau vient d'entrer dans la salle d'audience et tout attend Rose, comme auparavant, sa vie claudicante, ses erreurs, les yeux baissés pour vivre, tout l'attend et le petit marteau de la juge vient de dire que c'est normal, que c'est ce qu'elle mérite. Elle n'a ni la force de bouger ni celle de quitter la salle. Elle jette un coup d'œil à Mike qui serre chaleureusement la main de son avocat, en répétant, incrédule, "Alors, rien ?" et l'autre lui répond avec l'air d'un homme qui sait rester modeste dans la victoire : "Rien." Leurs regards se croisent. Elle le fixe. C'est la seule personne dans cette pièce à savoir qu'elle vient de mentir et que ce mensonge la condamne à perdre, la seule, mais elle voit dans ses yeux qu'il n'a aucune idée de la raison pour laquelle elle a fait cela. Elle trouve cela juste, au fond, il vaut peut-être mieux qu'elle garde ses secrets et retourne simplement à la laideur de sa vie.

Il ne s'est toujours pas levé de son lit. La femme de chambre est revenue et elle frappe à nouveau. Combien de temps s'est-il écoulé depuis la dernière fois ? Il n'en a aucune idée. La voix est plus assurée, elle porte en elle maintenant comme une menace, "Monsieur Keanu Burns ?...", comme si elle gourmandait un enfant, l'exhortait à revenir à la raison, mais il ne peut pas répondre, ni ouvrir, ni même rester concentré sur sa voix à elle. Il ne peut pas. Il continue à penser à cette longue suite de jours, de mois et d'années qu'il a laissée derrière lui en venant ici. Six ans de pétrole. Six ans qu'il vient d'annuler en fuyant, en roulant sans s'arrêter jusqu'à s'effondrer dans ce motel de nulle part. Il avait vraiment cru que le pétrole serait une nouvelle vie. Tout s'était bien passé, au début. Son arrivée, un soir de janvier 1999, à Houston, son entrée chez Matson's Oil comme ouvrier manutentionnaire. Quatre saisons à travailler comme un dogue, ne rechignant jamais à la tâche, allant où on lui disait d'aller, acceptant les heures que les collègues refusaient de prendre, le week-end, les nuits, faisant son trou, quatre ans. Il avait vraiment cru que ce serait sa nouvelle vie. Jusqu'à ce jour, il y a quelques semaines, sur la plate-forme, au milieu du golfe du Mexique, entouré par la haute mer qui se gonflait avec noirceur, où il s'était retrouvé à hurler "Lâchez-moi ! Lâchez-moi" alors que personne ne le tenait. Il se souvenait encore du vent de la mer, du goût de sel, du regard effrayé de ces hommes qui avaient à peine osé l'approcher, et lui qui ne pouvait s'empêcher de répéter toujours cette phrase "Lâchez-moi" alors qu'une partie de lui savait qu'elle était absurde, qu'elle le ferait passer pour fou et qu'il fallait qu'il cesse de la prononcer. Il se revoyait, droit comme un *i*, au milieu de la plate-forme, avec les ouvriers qui approchaient doucement et lui qui serrait les dents comme si la plate-forme tanguait alors que rien ne bougeait que les nuages dans le ciel et les paquets d'embruns, parfois, qui venaient rincer les bâtiments.

"Lâchez-moi !" Il avait fallu quatre hommes pour le maîtriser. Et aujourd'hui, lorsqu'il essayait de se souvenir de ces instants, tout se mêlait, il se voyait donnant des coups de pied pour qu'on ne l'attrape pas, mais il revoyait aussi le corps grimaçant de Pete MacDowell qui se tordait comme une anguille alors que c'était une autre scène, un autre jour, le corps de Pete, au moment où la sirène d'alerte au feu résonnait sur toute la plate-forme. Combien de temps était-ce avant ? Il ne savait plus. Tout se confondait. Même immensité du ciel, ignorant de la douleur des hommes. Même combat de muscles. Pete avait tellement mal à la jambe qu'il ne se laissait pas plaquer au sol alors que le toubib était là et voulait lui découper le pantalon pour qu'il cesse de fondre sur sa peau. Mais il n'y avait rien à faire. Pete hurlait en se débattant comme si des fourmis lui couraient le long du torse. Et l'odeur de grillé montait de partout. Des camarades, morts brûlés vifs, en quelques secondes. Et les corps ensuite qu'il fallait désincruster des sols – soudés qu'ils étaient par la chaleur –, des corps d'hommes avec qui on avait bu, échangé un mot, veillé la nuit, des corps d'hommes qu'il fallait déposer dans des sacs avec précaution pour qu'ils ne se cassent pas comme des bouts de bois calcinés. Tout se mélange. "Il faut me laisser entrer maintenant… Je dois faire la chambre." La voix de la jeune femme, derrière la porte, le fait sursauter. Il ne répond pas. Il sait qu'il va devoir ouvrir sinon le gérant va finir par venir, car, tout crasseux que soit le motel, la Mexicaine doit pouvoir entrer et faire son travail sans quoi on ne tardera pas à le considérer comme un ennui – et alors plus personne ne le laissera en paix, il sait qu'il doit se lever et ouvrir la porte car elle frappe à nouveau, mais il n'en a pas tout à fait la force, il est encore là-bas, sur la plate-forme, sentant les mains qui l'agrippent pour l'amener à l'infirmerie, entouré de la voix de ses camarades, ces voix graves qui essaient d'être rassurantes et posées mais qui trahissent la peur, il est là-bas et le corps de Pete se tord de douleur, trois morts ce jour-là, trois brûlés vifs à cause d'une erreur de bouton et de la défection d'une pièce – "Ça n'arrive jamais", a dit quelques jours plus tard l'expert, lorsqu'il est sorti de l'hélicoptère, et à cet instant, tous ceux qui étaient là se sont retenus de ne pas se jeter sur lui et le frapper de toutes leurs forces parce que c'était arrivé justement, et peu leur importait à eux que ce soit la première fois ou non, c'était arrivé, dorénavant l'odeur les hanterait la nuit, dorénavant chacun se demanderait combien de sacs mortuaires il y a sur la plate-forme, "Ça n'arrive jamais" et la pièce défectueuse avait été changée bien sûr, le pétrole continuait à être pompé, sans cesse, de jour comme de nuit, que la mer soit démontée ou calme, que les hommes pleurent sur leur couchette de peur et de dégoût, peu importe, les machines foraient, "Lâchez-moi", elles n'entendaient pas, "Lâchez-moi", elles pompaient et c'était la seule chose qui soit sûre en ce lieu, la seule chose qui soit solide et rassurante, la machine qui pompait, infaillible, "Monsieur Burns ?", elle crie maintenant, juste au moment où il s'est levé, il se passe une main sur le visage et va ouvrir la porte, cela fait quatre jours que la lumière n'est pas entrée dans la chambre, il ouvre, elle le regarde avec stupeur mais elle ne dit rien, malgré les trois fois où elle a appelé, malgré sa colère qui ne cessait de monter, elle ne dit rien, peut-être lui fait-il peur ou peut-être ne voit-elle qu'une seule chose, que la porte est ouverte et qu'elle va pouvoir faire ce pour quoi on la paie, alors elle baisse la tête et entre, il sort, fait quelques pas dehors et attend dans le couloir extérieur qui domine le parking, le temps qu'elle finisse le ménage, mais il sent qu'il est encore là-bas et il a besoin de toutes ses forces pour ne pas hurler à nouveau car Pete est en son esprit, et le médecin n'arrive toujours pas à couper le pantalon au niveau du genou, le tissu brûlé continue à griller les chairs, "Lâchez-moi", "Lâchez-moi" et les hommes autour ouvrent grands leurs yeux devant tant d'horreur, le visage révulsé et l'âme transie, alors qu'ils aimeraient les fermer, oh oui, les fermer et ne plus entendre que le vent, simplement cela, le vent éternel qui gonfle les vagues.

Le gardien Moore m'a rendu ma carte de visiteur puis il a fait une moue contrariée et a appuyé sur le microphone pour que je l'entende malgré l'épaisse vitre qui nous séparait : "Faites attention, révérend, le chenil est agité aujourd'hui…" Puis il a actionné le déverrouillage de la porte. Je suis entré. Nous sommes mardi, il est huit heures et je m'enfonce dans les couloirs d'Orleans Parish Prison. Je vais rendre visite aux prisonniers. Je les attendrai dans la petite chapelle du sous-sol, je les écouterai, je les confesserai, je prierai avec eux. Une fois par semaine, je plonge dans le bâtiment, longeant, à perte de couloirs, des cellules où s'entassent des Noirs. Le Seigneur a mis au fond d'eux le crime et la luxure. Ils sont là, je les regarde, il ne faut pas avoir peur de les regarder, c'est notre visage de faiblesse. Ils sont sur notre chemin pour que nous considérions leur laideur. Je ne sais pas si certains d'entre eux peuvent être sauvés, la plupart semblent ne rien éprouver, ils ne parlent pas de repentance et ne sont torturés d'aucun remords, mais je viens tous les mardis pour ne pas oublier le visage du mal. Tueurs, pilleurs, voleurs, alcooliques, drogués, c'est la face immonde de la ville qui se tient là. Elle pullule et sent la sueur. Ils se grattent les croûtes comme des chiens galeux. Ils font peur et je dois vaincre cette peur. Ils me dégoûtent et je dois vaincre ce dégoût. Je ne suis qu'un homme. Christ en sait plus que moi et je sais qu'il veut que je descende ici, alors je le fais, pour devenir meilleur. Je marche, comme d'habitude, jusqu'à la petite chapelle du sous-sol qui ressemble à une cellule mais je sens qu'aujourd'hui quelque chose n'est pas comme d'habitude. Moore a raison, personne ne me hèle, personne ne me salue. D'ordinaire, il en est toujours un ou deux pour m'accueillir d'un alléluia, histoire de se moquer un peu, et de me dire bonjour. Aujourd'hui, il n'y a rien de tout cela. Ils sont tous au fond de leur cellule, se tenant éloignés de la lumière. Je sens une tension autour de moi comme si les murs eux-mêmes étaient irrités. Ils m'épient, avec méchanceté. Aujourd'hui, quelque chose ne se passera pas comme prévu. Je me mets à prier tandis que je marche, à voix haute, je prie pour qu'ils entendent la parole de Dieu et qu'elle les apaise, je prie pour qu'ils voient que je suis fort d'être plein d'elle et que cela me met à l'abri de leur mauvaise humeur, je prie pour qu'ils s'approchent, me montrent leur visage et se mettent à chanter avec moi. Aujourd'hui est peut-être le jour où l'amour leur ouvrira le cœur. Je prie dans les couloirs, la bible serrée sous le bras, je traverse l'unité B des bâtiments Templeman III mais ils ne chantent pas, ils s'approchent de la porte de leur cellule mais ce n'est pas pour prier, ils me regardent et ma présence les excite, les réveille, les énerve, leur donne envie de mordre, alors ils se pressent contre les grilles à mon passage et se mettent à aboyer, comme des chiens enivrés de colère. Ils aboient, oui, et je sursaute de tant de sauvagerie.

"Tais-toi, Buckeley !" a dit le gardien au bout du couloir, mais je ne peux plus m'arrêter. Je me suis mis à aboyer comme les autres, d'un coup. C'est venu comme ça. Le révérend passait devant nous et nous avions envie de mordre depuis le matin. "Qu'est-ce qui te prend, Buckeley ?" Il me le demande à moi parce que je suis le plus près et peut-être aussi parce que cela ne me ressemble pas, mais je ne réponds pas. J'aboie. Et le révérend accélère, transi de peur. D'ordinaire certains l'apprécient et lui parlent avec respect. Aujourd'hui nous ne voyons en lui qu'un homme au pas pressé, un Blanc qui tient une bible bien serrée et porte sur le visage un air d'inquisiteur en campagne. Aujourd'hui, nous ne sommes plus nous-mêmes, nous le haïssons de loin, nous sommes les bêtes qu'ils veulent que nous soyons, les chiens du chenil, et rien ne peut plus nous calmer. Aujourd'hui, cet homme qui marche, c'est celui qui nous hait, qui nous a toujours haïs, c'est celui qui ferme la porte de notre cellule chaque soir, et rit, revenu chez lui, de nous avoir laissés dans notre crasse. C'est celui qui refuse la réduction de peine et les visites au parloir. Il n'y a pas de "Buckeley". Alors je me lève et je me mets à aboyer. Les autres font pareil. Nous jappons, grognons et nous contorsionnons. Tockpick a lancé son bras à travers les barreaux et a réussi à lui mettre la main dans les cheveux. Il a sursauté. Il est tout décoiffé maintenant, avec les mâchoires serrées. Nous voulons l'attraper, l'esquinter, le faire trembler et tant pis si c'est le révérend qu'il nous arrive d'aimer parfois, pas aujourd'hui, aujourd'hui, nous voulons qu'il ait peur, lui et tous les autres, parce que c'est le seul moyen de gagner un peu. Il marche plus vite, le visage fermé, il est comme un animal entouré de prédateurs. Pourtant il gagnera aujourd'hui comme il gagne toujours, malgré le bruit que nous faisons, malgré nos insultes et nos rires de moquerie, malgré nos injures, il gagnera parce qu'il va sortir, laissant tout derrière lui, il va sortir et il pourra s'asseoir dans son fauteuil ce soir, sans plus penser à nos aboiements lointains, il va sortir et nous effacer, alors nous crions et nous sommes fous, il le sent, il comprend que personne ne viendra à la chapelle aujourd'hui, qu'aucun d'entre nous ne lui parlera, qu'il peut rebrousser chemin car on ne bénit pas des chiens, il comprend que quelque chose est déréglé et il s'en va. Lorsque nous le voyons ainsi repartir en arrière, nous hurlons notre joie car c'est un peu comme d'avoir gagné mais nous avons tort – et c'est peut-être cela qui nous rend si haineux –, nous avons tort car le révérend va rentrer chez lui et refermer la prison sur nous. Ce soir, il s'allongera dans son lit et nous repoussera de ses pensées, tout au fond de nos vies ratées. Il dormira comme un bienheureux, tandis que nous, nous nous tournerons toute la nuit sur notre couche sans trouver de position pour dormir avec notre servitude.

Il se tient maintenant accoudé à la rambarde du couloir extérieur. La porte de la chambre est restée entrebâillée et le son de l'aspirateur couvre le bruit des voitures sur la route. La fille s'est glissée dans sa chambre sans dire un mot mais en le dévisageant drôlement. Il n'a rien dit – juste un geste de la main pour lui signifier qu'elle pouvait entrer et, depuis, elle s'affaire. Le couloir d'accès aux chambres est au premier étage, en extérieur, et il regarde les voitures qui vont et viennent. Il suit le cours de ses pensées qui le ramènent, toujours, inlassablement, à la plate-forme. Est-ce que ça n'était pas la souffrance qu'il était allé chercher là-bas ?

Il voulait une épreuve. Il est allé sur cette plate-forme avec la jubilation de ceux qui décident d'éprouver leurs forces. Il voulait quelque chose de dur et même au milieu des cris, même lorsqu'il essayait de plaquer Pete pour qu'il cesse de gesticuler et qu'il était révulsé d'horreur par l'aspect de sa jambe, une voix lui disait que c'était exactement cela qu'il était venu chercher. Il serrait le bras de Pete, faisait attention à ce qu'il ne se cogne pas la jambe, appelait encore à l'aide pour qu'un troisième et un quatrième gars les aident – mais malgré tout cela, une voix lui murmurait que c'était bien cette dureté-là qu'il était venu chercher, qu'il était au cœur de ce qu'il avait voulu, prenant à bras-le-corps la vie et devenant peut-être davantage un homme. Il s'appuie maintenant de tout son poids sur la rambarde du motel, laissant derrière lui le bruit du téléviseur prendre le relais de celui de l'aspirateur et, pour la première fois, il sent qu'il n'a pas cessé de se mentir. Il n'y a pas de nouvelle vie. La course au pétrole est terminée depuis longtemps et il ne s'est pas enrichi. Il a simplement choisi le lieu le plus éprouvant pour qu'il ne lui soit rien épargné. Il a voulu être englouti et il l'a été. "Lâchez-moi !" Il entend encore sa propre voix – claire, froide – qui résonne sur la plate-forme, "Lâchez-moi" comme un appel aux camarades, un appel pour leur dire exactement le contraire, tenez-moi, tenez-moi serré ou je vacille, tenez-moi ou je saute. Appuyé à la rambarde du motel, sa vie lui paraît dépourvue de sens et triste. "J'ai fini, monsieur." La fille vient de sortir de la chambre. "Je laisse le téléviseur allumé ?" Il met trop de temps pour répondre. Lorsqu'il est face à la porte et qu'il dit : "Oui, ça va, merci", elle est déjà au bout du couloir et lui tourne le dos. Il la voit disparaître. Ses fesses roulent dans son jean délavé. Il

n'a pas vu son visage. Ou plutôt si, mais il est incapable de s'en souvenir. Il lui semble alors qu'il
est en danger, là, dans cette chambre propre de
motel où personne ne viendra le chercher, il est
en danger plus que sur la plate-forme. Il n'est pas
assez fort pour rester dix jours, vingt jours peut-
être, seul dans un coin du monde et tordre le cou
à ses peurs, y rester jusqu'à ce que son mal le
quitte, jusqu'à ce que plus aucun son, plus aucun
visage de la plate-forme ne vienne le hanter, il n'est
pas assez fort pour cela. Il est en train de se détruire. Les animaux deviennent fous parfois ainsi.
Un bruit étrange qui les inquiète, un dysfonction-
nement de leur instinct et ils se mangent les flancs
ou sautent, par troupeau entier, dans le gouffre. Je
vais venir à bout de moi-même, se dit-il et il rentre
dans sa chambre. Lorsque la femme de ménage
reviendra, dans deux jours, trois peut-être, il n'y
aura plus rien. Plus trace d'homme. Même s'il est
encore vivant, après dix jours à se frapper la tête des
souvenirs de la plate-forme, il ne sera plus qu'une
ombre qui boit, gémit et cherche vainement le sommeil.

Elle est à l'arrière du bus, tête penchée contre
la vitre. La ville défile sous ses yeux. Elle quitte le
palais de justice et retourne chez elle, dans le Lower
Ninth Ward. Les immeubles, peu à peu, deviennent
plus laids et les rues plus désertes. Elle pense à
cela : qu'elle retourne à sa vie difficile. Elle a perdu.
Comment a-t-elle pu ne pas penser que l'avocat
de Mike poserait cette question ? Comment a-t-elle
pu oublier de s'y préparer ? Lorsqu'il lui a demandé,
avec la voix calme de celui qui vous tend un piège :
"Est-ce que le petit Byron est le fils de M. Mike
Bloomfeld, ici présent ?", elle s'est rétractée. Tout

son corps a été pris de panique. Puis un calme profond l'a envahie. Elle a su qu'elle avait perdu, que cette question était sans issue. Alors elle a menti. Elle a dit non. Elle a vu les yeux de la juge s'écarquiller, la bouche de Mike s'entrouvrir et l'avocat sourire légèrement. Elle a dit non. Elle ne le regrette pas. Mais elle a tout perdu. A l'instant où elle a répondu non à cette question, elle a endossé le manteau de celle qui en demande trop, de celle qui a fauté, de la femme indigne et Mike, lui, redevenait libre. Ce n'était pas cela qui l'ennuyait. Il avait toujours été libre, de cette sorte d'arrogante liberté qu'ont les parasites, mais il devenait propre. Et elle, elle acceptait les immondices et la puanteur. La juge lui avait tendu toutes les perches qu'elle avait pu mais c'était trop tard. Si l'enfant n'était pas le fils de Mike, ses demandes n'avaient plus aucune légitimité. Elle avait cru un instant que Mike protesterait, qu'il se lèverait en jurant que si, qu'elle disait n'importe quoi, que c'était une folle, mais il n'avait rien fait. Alors, au fond, elle n'avait pas menti : ce n'était pas son fils. Le bus tourne dans Flood Street et elle descend. Lorsqu'elle est sur le trottoir, elle se surprend à marcher le plus lentement possible. Elle ne veut pas arriver. Byron est à la maison, avec la voisine, Beth, qui a accepté de le garder quelques heures. Elle va devoir expliquer, dire comment cela s'est passé. Elle ne veut pas. C'est son fils à elle, sans père, son fils bâtard de vie, qu'elle ne peut s'empêcher de détester parfois parce qu'elle sait bien avec qui elle l'a fait, c'est son fils à elle parce qu'il fallait bien quelqu'un mais le plus juste aurait été que la juge se tourne vers elle et lui demande à son tour "Et est-ce que Byron est votre enfant ?" et alors elle aurait pu dire "Non", tout simplement, et la juge aurait pu frapper de son petit marteau le bureau de bois et proclamer "Alors il n'est à personne" et c'est tout.

Je rentre d'Orleans Parish Prison. Il est à peine dix heures. J'entends encore les cris des prisonniers, se propageant d'une cellule à l'autre comme une fièvre. Les gardiens m'ont demandé de sortir. Ils ont enfilé leurs gants et mis leur ceinture. Ils doivent être en train de taper sur les barreaux avec leur matraque pour calmer les esprits. Je ne sais pas ce qu'il s'est passé. Est-ce que c'est moi qui ai déclenché cette violence ? Est-ce que c'est l'habit que je porte ? C'est une épreuve. Les âmes salies rechignent devant la parole divine. Elles aboient, crachent, sifflent et se débattent. Elles ont peur de Notre-Seigneur, de Son nom et de Son amour. Je rentre et je sens bien que j'ai échoué. Je n'ai pas eu le courage que j'aurais dû avoir. J'ai reculé. J'ai quitté les lieux lorsque les gardiens me l'ont demandé. J'aurais peut-être dû m'agenouiller au milieu du couloir, dans les cris et le brouhaha, m'agenouiller avec sérénité pour qu'ils voient de quelle force on est lorsque Dieu vous porte, pour qu'ils voient que la main du Seigneur est toujours tendue, mais j'ai fui et ils l'ont vu et c'est comme si Dieu avait fui avec moi, peureux face à leur haine. Je n'aurais pas dû. Je suis faible. Je dois apprendre à ne plus avoir peur. Je dois apprendre à embrasser la meute, qu'elle me dévore si elle le veut mais sans parvenir à m'enlever le sourire que j'ai aux lèvres. Que ferons-nous si Dieu a peur des désespérés ?… Lorsque je rentre à l'église, Cindy me dit que le shérif a cherché à me joindre. Je pense d'abord que c'est lié à ce qui s'est passé en prison mais ce n'est pas le cas, le shérif a une voix nerveuse, il parle comme un homme qui a devant lui une foule de choses à faire et sait d'ores et déjà que tout ne tiendra pas en une seule journée. "Comment ?... Vous n'avez pas écouté les infos ?..." J'ai beau lui expliquer que j'étais à la prison, il ne semble pas entendre, il répète avec la même voix "Ils ne parlent que de cela depuis huit heures ce matin, il faut que je passe vous voir, je vais avoir besoin de votre église, révérend", et puis il raccroche. J'allume la télévision et je comprends de quoi il s'agit, nous l'allumons nous aussi, chacun dans notre cellule, après que les gardiens ont crié, nous l'allumons, assis à nouveau au fond de nos couchettes, les yeux rivés sur le poste car il n'y a que cela pour voir le monde et la même nouvelle court d'une cellule à l'autre, je l'ai entendue, moi aussi, Josephine Linc. Steelson, au retour de ma promenade en bus et cela ne m'a pas surprise car je l'avais sentie avant eux et maintenant ils en parlent tous, comme si c'était la première fois que cela arrivait, oui nous en parlons, d'une cellule à l'autre, comme tout le monde en ville, jusque dans la chambre du motel où la femme de service a laissé le poste allumé, la même nouvelle portée par la voix de différents journalistes, différents experts, celle des hommes politiques, celle des forces de l'ordre, mais tous annonçant l'arrivée d'un ouragan, une chienne celle-là, moi, j'ai dit, Josephine Linc. Steelson, et je m'y connais, négresse que je suis depuis presque cent ans, j'en ai vu passer plusieurs, toutes avec des noms de filles, des noms de traînées, oui, je les reconnais à l'odeur, à ce qu'elles charrient, je sens leur force et je peux vous dire que celle-là sera une affamée, une vicieuse, une méchante, nous regardons le poste et nous envions presque ceux qui redoutent sa venue car pour nous ça ne changera rien, nous resterons au fond de notre prison et cela ne nous concerne pas, le monde des vivants va s'agiter, se calfeutrer, le monde des vivants va vivre au rythme de son approche, mais nous, nous ne sentirons même pas la fraîcheur de son souffle et beaucoup d'entre nous le regrettent, à cet instant, être dehors et voir la colère du ciel, les murs qui volent et les arbres qui plient, nous aimerions, mais nous resterons là, au fond d'une pièce de deux mètres sur deux et l'air, à l'intérieur, ne remuera même pas, je dois me tenir prêt, je comprends la demande du shérif, il veut réquisitionner l'église, il pourra compter sur moi, je ne vais pas fuir cette fois, une nef pour mes paroissiens, c'est magnifique, la communauté pourra compter sur cet abri car les murs de la maison de Dieu sont inébranlables, oui, je me tiens prêt, tandis que la nouvelle se propage dans toute la ville, dans les radios des taxis, sur les lèvres des passants, dans les bureaux, les commerces, les écoles, un ouragan approche et dans la chambre du motel, à Houston, il ne parvient pas à quitter le poste des yeux, quelque chose est en train de naître en lui, il entend parler de cette tempête qui va s'abattre sur La Nouvelle-Orléans, à quatre cents kilomètres de l'endroit où il est, il entend les mêmes mots répétés à l'infini et une certitude naît en lui, il se répète le nom d'une femme Rose Peckerbye, Rose Peckerbye, une femme qui est en train de marcher le plus lentement possible à quatre cents kilomètres de là, parce qu'elle ne veut pas rentrer chez elle, parce qu'elle n'en a pas la force, et il sent qu'il a pris une décision, la première depuis quatre jours, non, peut-être plus, la première depuis des mois, une décision qui éloigne enfin la plate-forme, alors il se lève, coupe le téléviseur, enfile son manteau et sort de la chambre.

II

À SON APPROCHE

Elle regarde les rues de la ville qui se vident, les grappes de gens qui courent pour évacuer les maisons et elle sait qu'il n'y aura pas de place pour elle. Elle regarde les pères de famille charger les voitures jusqu'à ras bord, prendre des réserves d'essence, elle regarde les mères qui ont des visages tendus et redemandent pour la cinquième fois aux enfants s'ils ont bien pensé à remplir leur gourde, elle regarde tout cela et elle sait qu'elle n'en fait pas partie. Elle reste, elle, parce qu'elle n'a pas de voiture, parce qu'elle ne sait pas où aller et qu'elle est fatiguée. Elle reste, la ville s'agite et elle n'en est pas. Les gens ont peur, suent, se dépêchent pour ne pas perdre une minute et elle n'en est pas. Elle n'a pas vraiment peur, elle ne pense pas à la mort, elle pense juste que ce sera dur, une épreuve de plus. Elle sait qu'elle va être éreintée encore, comme si la vie n'était que cela, et elle s'y résigne. Elle regarde les hommes et les femmes qui partent et elle retourne à son quartier maudit, elle y retourne tête basse. Les rues, ici, sont plus calmes qu'au centre. Personne ne s'agite. Elle retrouve ces avenues larges et miteuses où les maisons elles-mêmes ont l'air fatiguées et elle ne peut s'empêcher d'entendre à nouveau le marteau de la juge. Le vent se lève. La tempête approche et elle sera pour eux, comme toujours, les miséreux aux vies usées, et pour eux seuls.

Au moment de régler sa note, il lui semble que la jeune femme le regarde étrangement. Peut-être est-elle surprise de découvrir un homme normal. Elle a dû s'imaginer que le type de la 507 était une épave, un drogué qu'ils allaient avoir du mal à déloger. "Consommation au minibar ?" Il fait signe que non, puis il ajoute : "Un appel téléphonique." Elle confirme d'une moue approbative en contemplant l'écran de son ordinateur. Elle imprime alors la facture et la lui tend. Il regarde. La durée de l'appel est précisée : une minute et cinq secondes. Cela le fait sourire. Une minute et cinq secondes. C'est si peu pour un appel qui l'a extirpé de cette chambre. Il a composé le numéro. Il s'en souvenait encore par cœur malgré les six années qui avaient passé. Il avait pensé que c'était elle qui décrocherait ou qu'il aurait à laisser un message sur un répondeur. Il avait eu hâte d'entendre sa voix mais c'est une voix d'enfant qui avait répondu. Il avait marqué un temps d'arrêt, puis il avait dit : "Bonjour, comment t'appelles-tu ?" Le petit garçon à l'autre bout avait répondu avec assurance : "Byron." "Est-ce que Rose est là ?" avait-il demandé. Le petit avait semblé hésiter. Il avait répondu avec une voix boudeuse : "C'est ma maman." "Oui, avait-il répondu simplement, tu diras à ta maman que j'arrive." Le petit l'avait coupé : "Tu es qui ?" Une sorte d'étrange timidité s'était alors emparée de lui. "Keanu Burns", avait-il fini par dire puis il avait répété : "Dis-lui bien que j'arrive." Et il avait raccroché. Une minute cinq secondes. Il repense maintenant à ces moments et une nouvelle force est en lui. Il sent ses veines battre. Il est pressé. Pressé de parcourir ces centaines de kilomètres, d'avancer, d'aller jusqu'à elle, de rouler, de rouler sans plus boire ni manger, de rouler pendant quatre cents kilomètres. Il a hâte. Depuis combien de temps n'a-t-il pas connu cela, le sentiment de hâte ?

La ville s'agite et compte les heures. La ville se prépare et espère que l'ouragan faiblira ou changera de trajectoire, mais nous, nous ne bougeons pas. Ils sont venus ce matin, aux aurores. J'ai fait comme les autres, je me suis pressé contre les grilles pour essayer de voir quelque chose mais ils ne sont pas passés par notre couloir. C'est Tush qui a fini par savoir ce qui se tramait. "Ils sont venus prendre les chiens", a-t-il dit. Je ne l'ai pas cru. "Je te jure, Buckeley, a-t-il insisté, je les ai vus." Tush nettoie les latrines de la cour et il a vu arriver quatre camions, flambant neufs. "Ils embarquent tous les chiens", répète-t-il. Volmann a dit qu'ils avaient peut-être peur que ça ne chauffe dehors et que c'était pour cela qu'ils réquisitionnaient les chiens, mais Pickow a dit que ce n'était pas cela, qu'il savait, lui, ce qui se passait avec les chiens parce qu'il en avait parlé avec Margareth, l'infirmière, celle qu'il va voir tous les matins, à huit heures quinze, pour sa piqûre. C'est elle qui lui a expliqué. Les chiens ont été bagués. Chacun va avoir son dossier et sera tracé. Ils sont montés dans ces camions douillets avec air conditionné et sont partis en direction de Houston. On les met à l'abri. C'est une opération rondement menée. Nous les avons vus démarrer, une longue colonne de quatre véhicules spéciaux, flambant neufs, vitres teintées et enjoliveurs immaculés. Ils ont quitté la prison dans un bruit calme de moteur, et les grilles se sont refermées. Nous restons là, nous, avec la certitude qu'il n'y aura pas de camion pour nous, et les murs de nos cellules rient parce que nous sommes moins que des chiens.

Moi, Josephine Linc. Steelson, négresse depuis près de cent ans, j'ai beau être aussi usée que les vieux saules des bayous qui laissent pendre leurs branches dans les eaux sales avec résignation, je pense encore avec ma bouche, comme disait le vieux Jack quand j'étais gamine et qu'il m'écoutait, fasciné, essayer de l'entourlouper dans un flux de paroles, improvisant, inventant, jonglant avec les mots, jusqu'à mystifier mon interlocuteur, le saouler, le faire tituber et abdiquer. "Tu embobinerais les alligators de Chef Menteur", disait ma tante en riant. Et c'est vrai. Je l'ai fait, certaines nuits. Parce que je voulais éprouver ma force, celle de ma voix, je suis allée à Chef Menteur, au bout du plus lointain des pontons, j'ai mis les pieds dans l'eau et je me suis mise à parler. J'imaginais des adversaires à fustiger, à convaincre, et je parlais, je parlais, comme un avocat qui répéterait sa plaidoirie, je parlais, moi petite Josephine, déjà négresse, au milieu des jacinthes fanées, je parlais et toujours les grenouilles finissaient par répondre. Une d'abord, puis deux, trois, dix et cela je ne l'ai jamais dit à personne, mais elles chantaient, elles aimaient ma voix et elles ne pouvaient que répondre. Plus tard, dans ma vie, chaque fois que ma carcasse de négresse s'est trouvée face à une difficulté et qu'il a fallu que je me batte, que je trouve des arguments qui fassent mouche, j'ai pensé aux grenouilles des bayous, et à la petite cinglée de négrillonne qui laissait ses pieds dans l'eau pour charmer les alligators. Je n'ai pas peur des policiers. Surtout pas lorsqu'il s'agit d'un gamin que j'aurais pu torcher et dont j'aurais même pu torcher le père. Alors lorsque l'agent

Wilson a frappé à ma porte, dans son bel uniforme, pour me dire que le maire avait ordonné l'évacuation de la ville et qu'il me demandait de bien vouloir le suivre dans son véhicule, j'ai souri. J'ai failli rire en lui demandant ce qu'il se passait et comment cela se faisait que la ville se souvienne des nègres du Lower Ninth, j'ai failli lui demander s'il ne s'était pas trompé et comment il comptait s'y prendre pour nous mettre tous à l'arrière de sa voiture mais je ne l'ai pas fait. C'était un jeune homme au front large qui avait les yeux plus grands que le cœur, alors je lui ai dit que oui, bien sûr j'arrivais, que j'étais même soulagée de le voir parce que je me demandais quand est-ce qu'il passerait. Je lui ai dit qu'à mon âge on a peur de tout, puis je lui ai souri à nouveau en lui mettant la main sur le bras et je lui ai demandé s'il aurait la gentillesse de me laisser dix minutes, le temps d'être sûre de ne rien oublier, s'il pouvait repasser après avoir été voir les autres personnes qui étaient sur sa liste. Il a dit : "Oui, *mam*", avec politesse, et a tourné les talons. Alors, je suis allée dans ma cuisine, j'ai pris la clef de la maison des Hoggan, le petit couple qui vit à Baton Rouge et passe trois mois de l'année en face de chez moi et, lorsque j'ai été bien certaine que le gamin avait tourné au coin de la rue, j'ai traversé et je me suis cachée chez les Hoggan. Personne ne me dit ce que je dois faire. Personne. Et tant pis si ma tête de bourrique de négresse me fait courir à ma perte. Je suis Josephine Linc. Steelson et je vis comme je veux. On ne m'emmènera pas dans un hangar pour m'entasser avec d'autres vieux recouverts de couvertures. On ne me dira pas quand est-ce que je peux revenir chez mòi ou pas. J'ai senti venir la vicieuse avant tout le monde et elle ne me fait pas peur. Que les autres s'en aillent, qu'ils s'entassent dans des camions qui rouleront au pas sur les autoroutes saturées du pays, qu'ils prient en sanglotant s'ils veulent, mais qu'ils me laissent en paix. Je suis Josephine Linc. Steelson et, s'il le faut, je parlerai à l'ouragan et il fera comme les grenouilles du bayou, il m'écoutera et se mettra à chanter, parce que personne ne me résiste, c'est ainsi que je suis faite. Et s'il ne m'écoute pas, si celui-là est plus dur que tous les autres, alors que ce soit la fin, qu'il m'engloutisse, cela fait longtemps que j'attends.

Il roule toutes vitres ouvertes. L'air est lourd. L'humidité lui colle la chemise à la peau. Il n'y a personne sur sa route mais la voie, en face, est de plus en plus chargée. Elle est remplie de voitures bourrées à craquer, passagers à l'arrière, valises sur le toit, des voitures dans lesquelles on a essayé, en hâte, de faire tenir toute une maison. Il a ouvert la radio pour ne pas risquer de s'endormir. Elle ne parle que de la nouvelle, sans cesse, sous toutes ses formes. Le maire de La Nouvelle-Orléans a proclamé l'évacuation de la ville. L'ouragan approche des côtes. Les experts calculent et recalculent la trajectoire en fonction des vents et des masses d'air. La radio grésille parfois et il se demande si c'est son transistor qui est fatigué ou si ce sont les premiers signes de sa venue. Les voix des différents experts se succèdent en permanence. Un météorologue, un homme politique, le chef de la sécurité, le gouverneur, une historienne, un secouriste, tous parlent de la menace, certains se veulent rassurants, d'autres alarmistes. Il écoute ceux qui disent que ce n'est pas la première fois qu'il va pleuvoir sur La Nouvelle-Orléans, ceux qui rappellent que jusqu'au dernier moment un ouragan peut changer de trajectoire ou perdre de son intensité, il écoute ceux qui assurent que celui-ci n'a rien à voir avec les précédents, qu'il est plus puissant, ceux qui font des projections sur le nombre de victimes, ceux qui lisent la Bible et tout ce qu'il entend derrière ces voix qui se succèdent, c'est la jubilation, une sorte d'excitation qui grandit à mesure que la bête approche. Il la reconnaît parce qu'elle est en lui. Depuis qu'il roule en contemplant le ciel pour apercevoir les premiers signes du désastre, depuis qu'il est sorti de sa chambre et s'est engouffré sur l'autoroute 10 Houston – La Nouvelle-Orléans, une joie nouvelle le tient. Il essaie d'imaginer ce que peut être une ville en chaos, submergée par les flots, il essaie d'imaginer la fin du monde et plus il le fait, plus le nom de Rose résonne dans sa tête.

Elle est rentrée chez elle et Byron s'est jeté à son cou. Elle l'a embrassé, lui, le fils de personne, sa vie d'amour raté. Puis elle a demandé où était Beth, la voisine. L'enfant lui a expliqué qu'elle avait dit qu'elle ne pouvait plus attendre. Elle a demandé depuis combien de temps il était seul, ainsi, dans la maison, mais l'enfant a levé les épaules. Il ne sait pas. Il raconte qu'avec Beth ils ont regardé la télévision et qu'ils ont entendu que tout le monde devait partir. Maintenant, il suit sa mère partout, d'une pièce à l'autre, en répétant toujours la même question : "Est-ce qu'on va partir aussi ?" et elle doit répondre – ce qui la blesse – qu'elle ne sait pas, qu'elle va voir, qu'il faut la laisser souffler cinq minutes et, au fond, c'est vrai qu'elle ne sait pas et elle a honte. Elle ignore ce qu'elle doit faire. Elle a cet enfant derrière elle qui la suit et dont la vie entière est attachée à elle et elle ne sait pas ce qu'elle doit faire. Beth a dit que les policiers allaient passer pour donner des instructions, dit Byron, mais qu'en attendant il fallait calfeutrer les maisons alors c'est ce qu'elle fait. Elle va d'un coin à un autre et elle essaie de faire quelque chose d'utile. Elle met du carton sur les fenêtres, des serpillières sur le pas des portes. Elle enveloppe les miroirs, sort des bougies et des lampes électriques, vérifie ce qu'il lui reste à manger. Le petit la suit et la regarde. Il a l'air triste d'un coup. Il demande : "Mais, maman, c'est qui qui veut détruire la maison ?", alors elle s'arrête, elle le prend dans ses bras et le regarde longuement. Un être de chair est là, devant elle, sorti d'elle, son fils, bout de viande hurlante devenu garçon, qui pense, qui est traversé par des peurs et des questions, son fils, à elle seule, qui est beau parce que ses yeux sont encore grands, parce qu'ils n'ont pas encore rétréci aux épreuves de la vie. Elle le rassure. Elle lui parle du vent et de la pluie, "Ça n'est que cela, dit-elle, du vent et de la pluie, mais nous ne voulons pas que tout soit renversé et mouillé chez nous, n'est-ce pas ? C'est juste cela". Et au fond, à cet instant, elle se demande si quelqu'un passera réellement pour l'emmener. Elle se sent si seule, si loin des hommes, persuadée que personne ne se souviendra de son existence et qu'on la laissera là, oubliée de tout. Elle se demande ce qu'elle fera si personne ne vient car elle n'est pas sûre d'être capable de faire les bons choix – comme elle n'a jamais été capable de les faire – et c'est ce moment-là, ce moment invisible de détresse, que l'enfant choisit pour lui dire, à toute vitesse, comme si la rapidité d'élocution allait compenser le retard avec lequel il faisait la commission : "Keanu Burns arrive." Elle reste bouche bée, comme si son fils lui faisait une farce, essayant de comprendre par quel processus étrange le nom de Keanu Burns peut se trouver dans la bouche de son fils alors qu'ils ne se connaissent pas, que chacun appartient à deux pans de sa vie radicalement étrangers et hermétiques, mais elle n'y parvient pas, alors le petit la devance et explique qu'il a téléphoné, qu'il a dit qu'il arrivait et c'est tout, et elle reste avec cette phrase, plus perdue encore qu'avant, elle ne dit rien, ne commente pas pour que l'enfant ne pose pas de question et finit de calfeutrer une fenêtre. Keanu Burns arrive. Tout se mélange, la pluie, le bruit du marteau de la juge, le sourire de Mike lorsqu'il l'entend dire que cet enfant n'est pas le sien alors qu'il sait que c'est faux. Elle se barricade, dans cette maison où personne ne viendra la prévenir de quoi que ce soit, elle se barricade loin du monde, mais Keanu Burns.

Il y a six ans, il avait fait le chemin en sens inverse. Il était parti et avait roulé sans s'arrêter, pensant que, s'il le faisait, il serait assailli de doutes et ferait demi-tour. Il avait essayé de ne pas penser à elle, à ses pleurs, de ne pas penser qu'il était en train de l'abandonner, qu'il brûlait leur histoire en une nuit. Il avait essayé de se concentrer sur la vitesse et la vie nouvelle qui lui battait déjà aux tempes. Il avait roulé longtemps persuadé qu'il faudrait des nuits et des jours pour éloigner les doutes et les remords, qu'il ne dormirait plus, luttant avec le visage de Rose et la mélancolie de ses yeux. Il avait roulé et plus il avançait, plus il se rendait compte que c'était facile. A Baton Rouge, déjà, il s'était senti soulagé. Les pleurs de Rose, ses propres hésitations, tout était loin. L'ivresse le tenait. Partir. Tout recommencer de zéro. Ce n'était pas qu'il fût malheureux avec Rose, au contraire. Mais la vie se rétrécissait. Il y avait encore tant de choses à faire. Il voulait encore essayer tant de métiers, arpenter tant de terres, vivre, vivre de tous côtés. La vie était plus vaste que Rose. La vie était plus vaste que le Lower Ninth. Il voulait partir, s'éprouver, se perdre. Il avait roulé, redoutant que la séparation ne le brûle, car il l'aimait sans le moindre doute, il l'aimait, mais plus il s'éloignait de La Nouvelle-Orléans, plus la tristesse disparaissait. La vie l'attendait, là, devant lui, la vie nouvelle, exaltante, la vie de pétrole, ce poste qu'il allait tenter de décrocher chez Matson's Oil. Tout était grand et ouvert à nouveau. Il essayait de ne pas penser à Rose mais, à dire vrai, son souvenir était déjà étonnamment vaporeux. Il l'aimait encore, bien sûr, mais il aimait davantage cette route, de nuit, qui ne le menait nulle part, cette vie, devant lui, qui pouvait encore prendre mille formes. Comme tout cela était étrange. Il y a six ans, il roulait en s'éloignant d'une femme qu'il aimait et cela était facile. Aujourd'hui, il roule vers une femme qui l'a oublié, qui ne l'attend pas et même, peut-être, ne voudra plus jamais entendre parler de lui et cela est dur. Il a peur. Il n'y a plus d'ivresse, plus de vie ouverte à l'infini, il n'y a plus que les bruits de la plate-forme qui l'empêchent de dormir la nuit. Il se sent nu, comme un enfant honteux. Aujourd'hui il n'a plus cette force présomptueuse qui lui donnait envie de mordre le monde et de vivre mille vies. Il est fatigué. Six années ont passé, qui l'ont usé. Il se sent vieux et il roule, les lèvres serrées, aux aguets, comme si, à tout moment, la terre pouvait décider de l'avaler.

Depuis que l'enfant lui a parlé du coup de téléphone de Keanu Burns, elle ne pense plus qu'à cela. Le feu lui est monté au front. Elle est agitée. Elle va d'un point à un autre de la maison, prétextant qu'il faut faire des réserves d'eau, ou préparer un abri à la cave, mais elle est obsédée par une seule idée : elle ne veut pas qu'il vienne. Elle cherche désespérément un moyen de faire que sa venue soit impossible mais elle ne trouve pas. En d'autres circonstances, elle claquerait la porte et partirait chez une amie, ou dans un motel du coin, mais là, elle ne peut pas. Ils ont dit qu'il fallait attendre les consignes. La radio n'émet plus. Le téléphone est coupé. Il faut attendre et elle ne peut plus bouger. Elle cherche un moyen de lui échapper. Elle ne veut pas le voir. L'idée qu'il soit là, devant elle, qu'il la regarde, qu'il voie ce qu'elle est devenue, une femme fatiguée dans une maison pauvre avec cet enfant derrière elle, cette idée la met en souffrance. Elle est prise de frayeur. Elle redemande à Byron si le monsieur a dit quand est-ce qu'il arriverait mais l'enfant ne se souvient pas. Alors, elle s'assoit dans la cuisine et elle se met à pleurer. Elle pleure d'attendre, elle pleure de solitude et parce qu'elle est laide et vaincue. C'est ainsi qu'elle se sent : une jeune femme de trente ans, à terre, qui ne se relèvera pas, ou petitement, qui vivra désormais chichement, comme une pauvre chose, asphyxiée par mille forces qui l'oppressent, entravée par la vie elle-même qui ne lui offre rien. Et pourtant, ils avaient été beaux et glorieux, animés par cette lumière que donne la jeunesse. Elle avait eu, aux côtés de Keanu, une nonchalance, une irrévérence qui faisaient se retourner jusqu'aux vieilles dames sur les trottoirs. Elle était belle. Elle le sentait, elle le voyait aux regards de ceux qu'elle croisait, et elle pouvait s'offrir le luxe de ne pas y prêter attention, de passer son chemin sans même se sentir flattée. Elle était belle, c'était ainsi, cela durerait toujours. La vie était pleine et l'homme qui marchait à ses côtés, Keanu, ajoutait encore à

45

sa beauté. Ils avaient été glorieux, oui, mais le souvenir de ces jours de lumière qui précédaient son départ à lui, ce souvenir était plus douloureux que tout. Elle pleure à la table de la cuisine, parce que quelqu'un va venir et la voir dans sa laideur et ce regard fera naître la honte. Elle baissera les yeux, elle apercevra la moue de déception de celui qui sera face à elle. Elle pleure d'avoir à connaître la honte en plus du reste parce que celui qui vient s'appelle Keanu Burns et que c'est le seul homme qu'elle ait jamais aimé, mais elle ne veut pas, c'est au-dessus de ses forces, elle voudrait se cacher, se terrer, disparaître, qu'on l'oublie, que le monde entier l'oublie et qu'il ne reste rien d'elle.

Cette fois, je ne reculerai pas. Je vois les habitants quitter la ville, les uns après les autres et je sais qu'il y aurait de la place pour moi. Marthe Graham est passée me voir et m'a dit qu'elle avait encore un siège de libre dans sa voiture, mais j'ai dit non. Les quartiers de Touro et Uptown sont déjà vides, paraît-il. J'ai entendu une dame dire qu'il n'y avait plus âme qui vive entre Louisiana et Jefferson Avenue, que des garages vides et des chiens errants. Les quartiers blancs se sont vidés. Il y aurait de la place pour moi. J'ai peur mais je dois être plus fort que moi-même, plus fort qu'à Parish Prison. Je reste devant l'église et je travaille comme un damné. C'est ce que le shérif m'a demandé. Il est venu avec deux de ses hommes à bord d'un camion chargé de surplus de l'armée. Nous nous affairons. Sacs de sable, couvertures, lits de camp, bidons d'eau, il faut tout décharger et entreposer dans l'église. Je suis heureux que le shérif m'ait demandé quelque chose car cela me force. Je ne peux plus fuir. Dieu me regarde et sourit cette fois. Je ne recule pas.

Il est fier de moi et, pour me récompenser, il envoie ces miséreux. Le premier arrive tandis que nous déchargeons le camion. C'est un vieil homme édenté. Il avance en hésitant et demande s'il peut rester avec nous. Puis il en vient d'autres, les gueux, les laissés-pour-compte qui sortent des entrailles de la ville. Ils viennent tous. Nous sommes leur seul abri. Oh comme il est beau d'œuvrer à cela et je dis oui à tous, je sais que c'est pour cela que je suis né, que cet instant justifie toutes les lâchetés passées, je dis oui et je leur demande de nous aider, nous sommes dix, vingt, il en vient encore, nous sommes trente et tout le monde participe. Mon église ressemble à ce qu'elle doit être, une nef pour les hommes qui cherchent refuge. Je suis fier à cet instant, fier de porter ces habits et la honte de la prison me semble loin. Je demande à ce que l'on dispose les sacs de sable devant la porte et les vitraux. Nous fortifions notre refuge pour que rien ne puisse rentrer et le Seigneur nous protégera car nous sommes chez lui. Les hommes travaillent avec le sourire, heureux de découvrir en eux tant de solidarité et je bénis leur effort. Je dis alléluia au milieu des tentes, des sacs et des plaids, bénie soit la peur qui nous rend meilleurs.

Il roule toujours à la même vitesse. Il n'a doublé personne depuis Lake Charles, pas une seule voiture. Sur la voie d'en face, le trafic devient plus dense d'heure en heure. C'est un flux ininterrompu de voitures chargées jusqu'à ras bord – une succession de gens serrés les uns contre les autres, de chauffeurs qui s'énervent de ne pas avancer plus vite, d'enfants qui pleurent, ont faim, et de parents qui se demandent s'ils sont déjà assez loin pour être hors de portée de la menace ou pas. Il voit l'angoisse de cette immense colonne humaine où, par résignation, plus personne ne klaxonne et où certains, lassés par tant d'immobilisme, finissent par couper le contact. Une ville entière qui fuit et se presse sur la même autoroute. Il aperçoit le visage des conducteurs d'en face lorsqu'il passe et il sent qu'il doit être l'objet de nombreuses discussions. Le mari qui demande à sa femme si elle a vu ce fou qui roule en sens inverse, un type qui n'a pas été prévenu peut-être, mais non, comment serait-ce possible ? ou quelqu'un qui a oublié chez lui quelque chose de vraiment important, mais qu'est-ce qui peut bien valoir de revenir ainsi en arrière ? Et le silence finit par s'installer dans la voiture, chacun se demandant, en son âme et conscience, ce qui pourrait bien justifier, pour eux, de faire marche arrière. Il roule tout droit et va toujours plus vite. Il remonte le long fleuve embouteillé de l'exode et il pense qu'il est comme eux, exactement comme eux. Lui aussi roule pour sa survie, lui aussi a pris sa voiture pour se sauver.

Rien. Il n'y a plus rien. Je tends l'oreille mais nous sommes seuls. Depuis combien de temps n'avions-nous pas entendu un tel silence dans les couloirs de Parish Prison ? Cela fait des mois, des années que nous vivons une succession ininterrompue de jours et de nuits, rythmée par les mêmes bruits, les mêmes odeurs aux mêmes heures. Le déclic des portes qui s'ouvrent. Le pas des matons. La voix des autres détenus. L'odeur de la cantine. Le tintement des assiettes au réfectoire. Aujourd'hui, tout cela a disparu. Le directeur, ce matin, est venu nous faire un discours. Il a parlé comme il le fait toujours, avec sécheresse et autorité, et cela nous a rassurés finalement, même si nous le détestons, car nous avions besoin de sentir que tout était prévu, qu'il était des choses immuables, comme le ton du directeur et sa raideur. Il a dit que l'ordre d'évacuation de la ville ne concernait pas les prisonniers de Parish Prison. Un d'entre nous, Volmann, a lancé : "Sauf les chiens !..." et nous avons tous ri, car il ne fallait tout de même pas nous prendre pour des imbéciles. Le directeur a senti qu'il devait en dire un peu plus, alors il a demandé le silence puis il a ajouté que c'était une prison, ici, et que chacun connaissait son métier, qu'ils allaient continuer à faire ce qu'ils savaient faire, même s'il se mettait à pleuvoir dehors, il a même dit : "Nous le ferons ensemble", comme s'il parlait d'une œuvre commune pour laquelle il aurait besoin de notre bonne volonté, et puis il a fermé son micro et a disparu. Nous ne l'avons plus revu. Ni lui. Ni aucun gardien. Depuis, un grand silence est tombé sur la prison. Ils sont partis. C'est la première fois qu'aucun bruit de pas ne résonne dans les couloirs, qu'aucune porte ne s'ouvre ou ne se ferme. Je suis inquiet, comme tous les autres. Nous écoutons pour essayer d'entendre au-delà de ce grand silence nouveau. La peur naît. Le bâtiment semble vide. Où sont-ils partis ? Personne ne parle. Personne ne pose de question. Je suis au fond de ma cellule et l'idée me vient que le silence doit être le même dans le bâtiment I et dans le bâtiment II, le même dans toute la prison, comme si elle était désertée, le même qui s'étend dehors, de rue en rue. Et j'imagine cette ville que je ne connais plus depuis des années que par les images de la télévision, je l'imagine sans voiture, sans piéton, sans aucun bruit, avec juste les feux qui continuent machinalement de passer du rouge au vert et du vert au rouge. Je l'imagine : il n'y a plus que nous, enfermés dans nos petites cellules et l'immensité tout autour d'une ville plongée dans le silence et l'attente.

A Lafayette, il freine. Devant lui, se dresse un barrage. Les policiers ont l'air surpris de le voir arriver. D'aussi loin qu'ils l'ont vu, ils ont agité de grosses lampes lumineuses pour qu'il se range sur le côté. Lorsqu'il est à leur niveau, il baisse sa vitre. Le policier n'en revient pas et ne sait plus par quelle question commencer. Il aimerait lui demander tout simplement : "Mais qu'est-ce que vous foutez là ?" mais il ne peut pas, alors il s'approche calmement, il le salue et dit : "Où allez-vous, monsieur ?" "A La Nouvelle-Orléans", répond-il. "Je crains que ce ne soit pas possible, monsieur", dit l'officier. Il explique alors qu'ils évacuent la ville, qu'à partir de maintenant les deux voies d'autoroute sont ouvertes dans le même sens pour désengorger le trafic le plus vite possible, qu'il va se retrouver au milieu d'un sacré marasme. Il ne répond rien. Le policier semble interloqué par son silence. "Je crois qu'il faut que vous fassiez marche arrière, monsieur." Il regarde l'homme en uniforme et lui répond : "Je ne peux pas, je vais à La Nouvelle-Orléans." L'officier a l'air presque énervé d'un coup. "Ça va être méchant là-bas, monsieur. Vous devriez vraiment retourner d'où vous venez." Il ne répond pas tout de suite. Il repense à la chambre d'hôtel qu'il n'a pas quittée pendant quatre jours, il repense à la moquette jaune qui tapissait les murs, à ces heures immobiles où il était happé par les souvenirs de la plate-forme, ces heures sans sommeil et sans force, avachi sur le lit, saoul sans alcool, éreinté et triste, il repense à tout cela et il se dit que jamais il ne reviendra en arrière. Il fait un petit signe d'acquiescement au policier et démarre en faisant demi-tour. Le policier le regarde disparaître avec une moue dubitative, sûr d'avoir sauvé la vie d'un type qui ne se rend même pas compte du danger. A la première sortie, il quitte la voie rapide et prend la direction de New Iberia. Après deux cents mètres, il sourit. Aucun policier n'est en vue : ils ne se sont occupés que des axes principaux. Il y a beaucoup de voitures sur la voie d'en face, beaucoup qui roulent sur la sienne et il doit klaxonner pour qu'elles se poussent à son passage. Les voitures lui font des appels de phares mais se rangent et le laissent passer. Plus loin, à Morgan City, il voit une petite route touristique qui annonce *La Nouvelle-Orléans par les bayous*. Il s'y engouffre et se retrouve seul. Le ciel est sombre. De gros nuages se mangent les uns les autres, plongeant le paysage dans une grisaille sans ombre. Il roule. De part et d'autre de la route, les bayous s'étalent, dans un entremêlement de jacinthes d'eau, de racines pourries et de nénuphars géants. La surface des eaux est calme. Les moustiques tournent dans l'air par nuages entiers. Il se sent étrange tout à coup, comme si quelque chose le traversait. Il s'arrête et coupe le moteur. L'air est épais à respirer. C'est la première fois depuis son départ qu'il s'arrête. Il fait quelques pas sur la route. Les bayous l'entourent, les nuages pèsent bas dans le ciel et il se sent bien.

Nous sommes nombreux maintenant. Quatre-vingt-sept hommes, femmes, enfants et vieillards. Des familles avec des valises, des clochards sans rien, tous serrés les uns contre les autres. Bénie soit l'attente. Faut-il que les hommes aient peur pour qu'ils ouvrent leur cœur ? Je les vois, là, devant moi, et les visages sont purs, sans fard, lavés de toute dissimulation. Bénie soit la menace qui nous met à nu. La peur leur tord le ventre, c'est pour cela qu'ils sont venus, je le sais mais je ne leur en veux pas. C'est ainsi que sont les hommes et je connais leur faiblesse. Ils me baisent les mains, ils entrent dans l'église comme des gueux dans un palais. Alors je leur répète qu'ils sont ici chez eux, que le Seigneur les protège parce qu'ils sont les derniers. Je leur dis qu'ils sont pauvres et démunis, qu'ils sont oubliés du monde et en haillons et que c'est pour cela que Dieu les aime. Je leur dis que nous allons être ensemble, frères dans la peur, et je me sens meilleur. Louée soit cette église pleine de cris de nourrissons et de brouhaha. Je suis plein de force. Je leur demande de chanter avec moi et nous chantons. Dans le silence lourd de la ville, nous louons le Seigneur. L'humanité est là, à mes côtés, peureuse et suppliante, ô Dieu, merci de m'avoir fait connaître ces instants, j'aime la sueur qui émane de ces corps, j'aime les lèvres qui tremblent et les femmes qui grelottent. C'est l'humanité sans masque qui s'en remet à Votre volonté. Nous chantons jusqu'à ce que, soudain, un coup sourd retentisse. La porte en bois vient de claquer. Tout le monde sursaute. C'est le premier coup de vent. Elle est là, la tempête. Elle arrive. Le silence alors tombe sur l'église et même les nourrissons se taisent.

Moi, Josephine Linc. Steelson, négresse pour quelque temps encore, me voici revenue chez moi et personne ne m'en délogera. La rue est vide. Le jeune policier ne repassera pas. Il a déjà dû recevoir d'autres ordres. Qui se soucie d'une vieille folle comme moi ? Ils m'ont oubliée. Ce pays est tout entier fait comme ça. Rien ne s'oublie mieux que les négrillons. Il en a toujours été ainsi. Toute la ville a foutu le camp et ils ont laissé derrière eux les nègres qui n'ont que leurs jambes pour courir parce que ceux-là, personne n'en veut. Nous allons rester là et advienne que pourra. Je n'ai pas peur. Je la sens qui vient. C'est bien. Les hommes détalent, ils ont tort. Ils devraient rester pour voir que leurs maisons ne sont rien, que leurs villes sont fragiles, que leurs voitures se retournent sous le vent. Ils devraient rester car tout ce qu'ils ont construit va être balayé. Il n'y aura plus d'argent, plus de commerce et d'activité. Nous ne sommes pas à l'échelle de ce qui va venir. Le vent va souffler et il se moque de nous, ne nous sent même pas. Les fleuves déborderont et les arbres craqueront. Une colère qui nous dépasse va venir. C'est bien. Les hommes qui restent et verront cela seront meilleurs que les autres. Nous allons tout perdre. Nous allons nous accrocher à nos pauvres vies comme des insectes à la branche mais nous serons dans la vérité nue du monde. Le vent ne nous appartient pas. Ni les bayous. Ni la force du Mississippi. Tout cela nous tolère le plus souvent, mais parfois, comme aujourd'hui, il faut faire face à la colère du monde qui éructe. La nature n'en peut plus de notre présence, de sentir qu'on la perce, la fouille et la salit sans cesse. Elle se tord et se contracte avec rage. Moi, Josephine Linc. Steelson, pauvre négresse au milieu de la tempête, je sais que la nature va parler. Je vais être minuscule, mais j'ai hâte, car il y a de la noblesse à éprouver son insignifiance, de la noblesse à savoir qu'un coup de vent peut balayer nos vies et ne rien laisser derrière nous, pas même le vague souvenir d'une petite existence.

III

LE DÉLUGE

Les enfants crient, Seigneur. Vous les entendez, comme moi. Les mères les pressent contre leurs seins jusqu'à les étouffer pour tenter de les rassurer. La tempête est sur nous. Nous entendons le vent qui siffle sous les portes, malgré les sacs de sable, qui siffle sous les fenêtres, à travers la moindre fissure. Tout tremble. Le ciel craque et se vide sur nos têtes.

Moi, Josephine Linc. Steelson, il me sera donc donné de voir à nouveau une éclipse du monde. Un immense nuage noir a mangé le ciel. Le vent est sur nous. Je le reconnais. Le vent des ouragans qui ne se repose jamais, qui souffle de façon constante avec la même rage. Les arbres s'agitent dans la tourmente. Les branches plient, et comme le vent continue, elles finissent par craquer. Elles volent plusieurs mètres au loin et courent le long des avenues. Oh comme la nature est belle de colère. J'ai ménagé un tout petit trou dans le carton de la fenêtre du premier parce que je veux voir ça. Devant chez moi, un réverbère s'effondre sur une voiture. Tout tremble, tinte et se plie. On dirait que l'herbe elle-même va être arrachée et qu'il ne restera rien. Les insectes des bayous ont dû être emportés des dizaines de kilomètres plus loin. Et les grenouilles aussi. Ce sera bientôt le tour des hommes. Le vent ne cesse de forcir. C'est nous qu'il veut. Il souffle pour nous arracher, nous soulever de terre et nous faire danser dans les airs au-dessus de cette ville qui ne sera bientôt plus rien. Je reste à la fenêtre. Je la sens qui tremble et crisse. Tant pis si elle éclate à ma face de négresse, je ne bougerai pas d'ici, car je suis bien. Le monde va se déchirer comme un sac et je veux voir ça.

Lorsqu'il arrive à La Nouvelle-Orléans, des trombes d'eau tombent sur le pare-brise de sa voiture. Il ne voit plus rien. Il essaie de faire fonctionner les essuie-glaces mais c'est dérisoire. La pluie fait un bruit assourdissant et la plate-forme, à nouveau, resurgit. Il se met à trembler. Il a peur, oui, pas du déchaînement du ciel mais de ses souvenirs qui l'assaillent à nouveau. Il est bloqué dans l'habitacle de sa voiture et il repense à Malogan, son ami au regard voilé de tristesse, qui, les jours de grande pluie sur la plate-forme, se mettait à parler alors que, le reste du temps, il était muet comme une pierre. La pluie martèle son pare-brise et il se souvient des paroles de Malogan. "On a tout pris, disait-il en parlant des hommes avec dégoût. Et maintenant, au lieu de donner, on continue à prendre." Pour Malogan, la Nature le sentait, l'égoïsme de l'homme, et elle s'en irritait. "Elle nous en veut", affirmait-il. Il se souvient de Malogan, là, bloqué dans sa voiture, avec la pluie qui tape si fort qu'on dirait de la grêle. "Elle nous en veut" et Malogan parlait des tuyaux de gaz et de pétrole, de ces milliers de tuyaux dont on perçait la terre et qui avaient toujours soif. L'homme prenait sans cesse, sans avoir plus rien à donner et cela le dégoûtait, lui, et c'est pour cela, peut-être, qu'il n'en pouvait plus de ce monde, et qu'il avait fini par agresser un policier à la sortie d'un bar, se battant avec rage jusqu'à sortir un couteau et qu'il avait pris cinq ans, cinq années à regarder les murs sales d'une cellule texane tandis que partout les hommes continuaient à prendre et la terre à s'épuiser. Il ne peut s'enlever de l'esprit la voix de Malogan et c'est elle, plus que la pluie, c'est elle qui le fait trembler. Qu'a-t-il donné, lui ? Il sent que c'est pour cela qu'il n'a pas réussi à dormir pendant les quatre jours qu'il a passés dans la chambre du motel. Il est sec. Il ne donne rien car il n'y a plus personne autour de lui. Alors il ouvre la vitre. L'air froid le gifle et la pluie lui martèle le visage. Il ferme les yeux. Il fait nuit noire. La voiture avance, au pas. De l'eau glisse sur les routes comme des ruisseaux déchaînés. Le vent projette mille objets, les poussant, les fracassant. Il fait une manœuvre, *in extremis*, pour éviter un tronc d'arbre. Un caddie roule seul, dans le sens du vent, comme s'il dévalait la rue. Tout se brise. Le vacarme est assourdissant. Il avance encore, au milieu du chaos, jusqu'à atteindre le Lower Ninth. Là, il se résout à abandonner sa voiture. Il ne voit plus rien. La seule façon de poursuivre est de marcher le long du trottoir, d'un porche à l'autre. C'est ce qu'il fait. Lorsqu'il atteint Choctaw Street, il a envie de crier de joie pour défier l'ouragan. Il a réussi. Il est épuisé et trempé mais il a trouvé la rue. La fureur du vent lui bat le corps mais rien ne peut plus venir à bout de lui. Alors, il prend son élan et remonte Choctaw Street comme un barbare furieux qui va au-devant d'une armée ennemie, seul, persuadé qu'avec sa rage il parviendra à la mettre en déroute.

La prison s'est changée en navire. Des bruits nouveaux résonnent dans les couloirs vides. Nous entendons la tôle crisser. Quelque chose martèle les murs – comme si des objets volaient contre des portes capitonnées. Je me concentre pour essayer d'identifier ces bruits mais je n'y parviens pas. Il n'y a plus un gardien, personne, juste cette force qui semble assaillir la prison à l'extérieur, et tonne sans s'essouffler. Il me semble parfois que nous allons sentir le sol bouger sous nos pieds et les murs se mettre en mouvement. J'ai peur, infiniment plus peur que si je pouvais voir ce qui gronde tout autour de nous. Que restera-t-il de la ville quand la tempête sera passée ? Nous sommes de pauvres hommes tapis au fond des entrailles de la prison et le monde croule sur nos têtes.

N'ayez crainte, nous tiendrons. Je le répète sans cesse, d'un groupe à l'autre. N'ayez crainte, le Seigneur est avec nous. Ce ne sont que quelques heures à passer. Nous sommes ensemble et nous traverserons l'œil noir. Je le dis. Je le répète à tous ceux qui m'entourent et jamais je ne me suis senti aussi heureux.

L'enfant a voulu rester devant la fenêtre. Il ouvre de grands yeux amusés. Les réverbères tanguent comme les palmiers sous le vent. Il appelle sa mère pour qu'elle vienne voir un homme au milieu de la chaussée qui essaie de marcher contre le vent, bras écartés, sans y parvenir et recule en baissant la tête. Soudain, la fenêtre claque, l'air froid s'engouffre dans la chambre. La vitre explose sous la pression et la mère hurle. Elle craint que le petit ne se soit blessé. Elle se précipite sur lui mais il n'a rien. Elle décide alors de descendre dans la cuisine. Ils se tiennent éloignés des fenêtres et ne bougent plus. A quoi pense-t-elle, à cet instant ? Elle a son fils dans les bras et il n'y a que cela. Elle doit veiller sur cet enfant et le protéger contre la colère du monde.

Moi, Josephine Linc. Steelson, fatiguée d'être vieille, je voudrais finir au vent, éparpillée. J'entends la pluie qui martèle le toit et je sens que ma vieille maison de négresse est sur le point de craquer. Si tout s'effondre d'un coup, je disparaîtrai sous les gravats et le monde, tout autour, continuera à se convulser, sans se souvenir de moi. Ce serait bien, mais je dure. Pourquoi suis-je aussi solide ? Pourquoi est-ce que le vent ne me casse pas les os ? Il tord les carrosseries des voitures, arrache les balcons mais me laisse intacte. Que mes cheveux volent sur les bayous, que mes os soient engloutis dans les marais et que mes dents se plantent en terre. Je voudrais mais le vent souffle et me laisse en paix. Je suis une vieille négresse increvable. Tout se tord, et moi, je reste.

Il doit se battre contre le vent, s'arc-bouter, devenir une boule compacte de volonté et de muscle pour ne laisser aucune prise. Il a les yeux quasiment clos et ne peut ouvrir la bouche – sans quoi, trop d'air y pénétrerait. La nature est là qui l'entoure, lui crie aux oreilles, la nature qui jaillit par bourrasques, pleine de vie et effrayante, la nature qui n'est plus à l'échelle humaine. Il se demande un instant si cette tempête est un grand courroux des éléments ou un éclat de rire du ciel. Il n'a vu cela qu'une fois auparavant. La plate-forme tanguait sous le vent. La mer se creusait, les déferlantes venaient se briser les unes après les autres sur les pylônes, maculant tout d'écume. La peur que ressentaient alors les hommes devant leur petitesse, la peur qu'ils avaient de se savoir oubliés de tous, c'est celle qui est en lui maintenant. Il pense à ceux qui sont encore là-bas. Il imagine les plates-formes danser sur les eaux du golfe du Mexique, au milieu du néant. Le ciel éclate, les eaux montent et se bousculent. Certaines d'entre elles se sont peut-être décrochées. Cela arrive. Les hommes, alors, se signent. Ils savent que les eaux vont les avaler, qu'il ne peut y avoir de secours, ni navire, ni hélicoptère. Ils dérivent comme de gros animaux inutiles et il n'y a plus rien, plus rien d'autre qu'une succession de secondes où l'on serre les muscles dérisoirement, comme si sa pauvre petite force d'homme pouvait encore quelque chose contre l'immensité des flots. Le vent hurle mais il se sent fort. Il est tellement soulagé de n'être pas sur une plate-forme à la dérive. Il peut compter sur ses forces et sa ténacité. Il sait qu'il ne lâchera rien. Il a envie de cela, de cet affrontement. Il avance un pas après l'autre, obstinément. Le vent lui coupe parfois le souffle mais son entêtement ne faiblit pas.

Elle serre son fils contre elle. Elle a entendu, au premier étage, des objets qui tombaient à terre mais elle ne veut pas aller voir. Elle reste accroupie dans un coin, son fils entre les jambes, et elle pense à sa vie. A quel moment les choses ont-elles commencé à s'éloigner d'elle ? A quel moment a-t-elle commencé à mener une vie qui ne lui ressemble pas, qui lui fait horreur et la détruit tout bas ? Elle serre son fils contre elle. Elle sait que la réponse à ces questions est là, dans ce corps d'enfant, mais elle le serre encore. Elle pourrait le lécher, le couvrir de baisers, il est son erreur, sa souillure, sa laideur mais elle veille sur lui comme une louve et, si l'ouragan veut les tuer, elle se battra jusqu'au sang pour qu'il ne l'ait pas.

Il marche toujours face au vent, les vêtements rincés par la pluie et il repense à ce rêve qu'il faisait sur la plate-forme. Il était esclave et courait dans un marais du Sud, la peur au ventre avec les Blancs à ses trousses. Il entendait les aboiements des chiens et il sentait que ses forces s'épuisaient. Il savait, avec certitude, qu'il n'allait pas réussir à les semer et qu'il vivait là ses dernières minutes, mais le rêve, étrangement, se déroulait dans une sorte d'ivresse. Il courait, les chiens gagnaient du terrain mais il était joyeux. Il avait raconté son rêve à Malogan. Il lui avait parlé de cette étrange sensation d'être joyeux alors qu'il était sur le point d'être rattrapé. Malogan n'avait pas paru surpris. Il avait dit : "Ce qui nous tue, nous, c'est de participer" et il avait fait un geste vague autour de lui, montrant les bâtiments derrière eux et la mer plus loin. "Heureux sont ceux qui ont la force de fuir." Et longtemps, il avait pensé à cela, de plus en plus convaincu que la plate-forme le tuait, pompant ses forces et son esprit, pompant sa jeunesse et sa vie. La plate-forme avait besoin de sa vigueur et elle l'épuisait, comme elle le faisait avec la terre. L'homme du rêve, lui, courait. Malogan avait raison. Il était fort de cela. Ne compter que sur ses propres forces même si elles sont fragiles. Ce qui nous tue, c'est de participer. Et cela l'avait tué, oui, jusqu'aux cris absurdes qu'il avait poussés un beau matin "Lâchez-moi ! Lâchez-moi !" sans plus pouvoir bouger ni s'arrêter de crier. Il avance maintenant. La pluie lui martèle le front. Il essaie de ne pas perdre de terrain. Il finit par atteindre la maison de Rose et s'arrête devant sans plus bouger. Il pense à Rose, sûrement mariée, avec un enfant, peut-être plus. A Rose qui a poursuivi sa vie, en le maudissant d'abord, puis en l'oubliant. Il pense qu'elle n'est sûrement plus là, qu'elle a dû partir se mettre à l'abri. Il se passe la main dans les cheveux. C'était une erreur. C'est pour cela qu'il est venu. Partir il y a six ans, le pétrole et tout le reste : c'était une erreur. Il ne veut pas s'excuser mais le dire simplement. Cela ne valait pas toute cette souffrance, tout ce dégoût de soi. Et même si elle n'est pas là, même si la maison devant laquelle il se tient est vide, il frappe à la porte pour se le dire à lui-même, au moins une fois, et plus jamais ensuite, c'était une erreur et j'ai perdu ma vie à cause de cela.

On frappe. Quatre coups sur la porte. D'abord, elle croit à un objet qui aurait heurté la maison mais les coups recommencent. Elle tend l'oreille et ne peut plus en douter : quelqu'un est là, dehors, et frappe. Elle hésite. Elle ne veut pas se lever. Elle veut rester là, concentrée sur sa survie, mais l'enfant la regarde. Ce regard, sur elle, la force. Sans lui, elle resterait assise, les mains sur les oreilles, mais l'enfant est là qui lui demande avec ses yeux ce qu'elle attend.

Il frappe à nouveau, de plus en plus fort. Quelque chose a lâché en lui. Il tape sur la porte, sur le mur, il longe la façade et tape contre les carreaux. Cela lui fait du bien. Il frappe pour toutes ces années d'oubli et d'épuisement, c'est comme s'il se battait contre le vent, comme s'il rendait les coups que lui avait portés la plate-forme, il frappe de toutes ses forces mais le vacarme de l'ouragan couvre tout et il lui semble que l'eau, le ciel et les bourrasques conspirent à étouffer le martèlement de ses poings. Elle l'entend, elle, pourtant, et se prend à avoir peur, quelqu'un est là, dehors, qui accroît la tempête, elle ne peut plus faire comme si cela n'existait pas, elle ne peut plus juste baisser la tête et serrer contre elle son fils raté d'amour, quelqu'un est là qui a entrepris de casser la maison, elle entend les coups sourds comme s'il donnait des coups de pied dans les murs et voulait défoncer les parois, alors elle se lève, elle a peur, elle fait signe à l'enfant de ne pas bouger, elle veut voir dans la nuit mais elle ne distingue, à travers la fenêtre, que les trombes d'eau qui s'écrasent sur l'avenue. Le vent, dehors, fait dégringoler des pots de fleurs, des vêtements, des poubelles, tout vole et se casse, et il ne peut plus s'arrêter, il a cru apercevoir une silhouette à travers la fenêtre, il n'en est pas certain mais il lui semble bien, il se passe la main sur le front mais il n'a rien pour essuyer l'eau qui lui ruisselle des cheveux et le force à cligner des yeux, il lui semble bien avoir vu une silhouette alors il crie, il se met à crier plus fort que le vent, "Rose", il n'y a plus que cela autour de lui, la fureur du vent, les paquets d'eau et son corps arc-bouté qui a encore la force de crier, "Rose", il pourrait rire à cet instant, c'est comme s'il se mesurait au vent. Elle entend son nom, "Rose", là, au cœur de la nuit, elle vacille, c'est comme si l'ouragan lui-même l'appelait, comme s'il connaissait son nom, alors elle se dirige vers la porte de la cuisine, "Rose", il continue à frapper mais c'est à la voix qu'elle répond, pas aux coups, c'est à ces cris venus du profond des choses, elle n'hésite plus, elle ouvre, tout est noir dehors et lui saute au visage, un homme est là qu'elle ne reconnaît pas encore, elle est presque déçue qu'il ne s'agisse que de cela, un homme, quand elle s'attendait à voir la nuit elle-même, mais elle le laisse entrer, il avance brusquement, et referme la porte en s'arc-boutant dessus pour que le vent n'entre pas à sa suite, elle ne lève pas encore les yeux sur lui, elle sent que c'est la honte qui est entrée dans cette pièce, elle sent qu'elle ne veut pas ce qui va venir, les mots, les explications, les retrouvailles, elle n'a pas la force de tout cela, elle voudrait juste retourner s'asseoir avec son enfant serré entre les jambes, sans poser de question ni même tourner la tête et laisser le vent continuer à hurler, mais ce n'est pas possible, il est là, lui, vacillant d'ivresse, et il redit encore "Rose", comme s'il savait que ce mot pouvait tout, alors elle lève les yeux et le regarde, elle ne voulait pas le faire, mais elle le regarde. Son visage, là, depuis si longtemps, son visage qu'elle reconnaît bien sûr, mais qui porte quelque chose de brisé. Elle ne dit rien. Elle prend le temps de le regarder. Elle ne le quitte pas des yeux. Il n'a pas dit un mot, comme s'il comprenait qu'elle avait besoin de silence ou comme si, lui aussi, avait perdu l'envie de parler. Elle prend le temps de le regarder. Son visage est marqué d'une usure qu'elle connaît. L'homme sourit et tout devient évident. Cela fait longtemps qu'il n'a pas souri. Il le fait avec maladresse et embarras. Elle reconnaît la morsure du temps sur le front, le voile de tristesse dans les yeux, ce sont les mêmes que les siens. Alors elle sent qu'elle n'aura pas à se cacher. Il est comme elle, entamé de fatigue et vaincu.

Un cri retentit. C'est Jeff Boons, dans la cellule d'à côté qui se met à crier : "Buckeley, regarde !... L'eau !... L'eau !..." Il y a de la terreur dans sa voix.

66

Je regarde par terre. L'eau arrive dans le couloir. Elle se déverse à grands paquets, elle coule, glisse, pénètre partout, l'eau qui vient nous tenir compagnie et nous lèche déjà les pieds. Nous nous levons tous et nous nous précipitons aux grilles de nos cellules. Je vois ceux d'en face, maintenant, Tush, Tockpick, Lazy Marty et ils ont la même peur que moi sur le visage : jusqu'où va monter l'eau ? Nous sommes oubliés. La ville est sens dessus dessous et si personne ne vient, on ne retrouvera de nous, dans quelques jours, que nos corps flottant dans les cellules.

Tout craque dehors. Les femmes prient à voix basse sur la tête de leurs enfants. Ils se serrent, jambes entremêlées, bras enlaçant les corps des plus petits, haleine dans les cheveux. Les ténèbres, à l'extérieur, font un bruit de tambour. Que restera-t-il de la ville ?… Chacun se pose la question, mais nous essayons de ne pas penser plus loin que notre propre survie. Tenir jusqu'au moment où le vent faiblira, laisser les heures s'écouler et survivre à tout cela. C'est alors que je l'entends. Je suis près de la porte et je perçois, au fond de la nuit, une voix qui appelle. Je tends l'oreille. La voix retentit à nouveau mais déjà plus étouffée. Un homme ou une femme est là-bas, au-dehors, face au déchaînement de l'ouragan et appelle. Je reste immobile. Une dernière fois, la voix retentit, presque inaudible… Est-ce possible ? Qui passe si près de nous, dans le chaos, et appelle à l'aide ?

L'eau monte. Tockpick répète qu'il faut trouver quelque chose ou nous allons tous crever. Il le dit avec énervement comme si nous manquions de

bonne volonté et qu'il était nécessaire de nous secouer. Tush dit qu'il en a déjà jusqu'aux genoux
dans sa cellule. Lazy Marty commence à s'agiter
contre les barreaux de la sienne. Que pouvons-
nous faire ? Combien de temps nous reste-t-il ?
Combien de minutes, qui sembleront des heures,
à scruter le niveau de l'eau, à essayer de calculer
le temps qu'il lui faudra pour atteindre le plafond.
Il fait froid. Nous sommes des hommes rudes mais
nous tremblons à l'idée de mourir là, comme des
suppliciés.

"Est-ce que je peux rester un peu ?" demande-t-il.
Le vent tambourine encore tout autour. Elle fait
oui de la tête. Le petit est entré dans la cuisine. Il
dévisage le nouveau venu en silence. "C'est Keanu",
dit la mère. L'enfant ne réagit pas. Keanu Burns lui
dit bonjour mais il ne semble pas entendre et retourne dans la pièce d'à côté. "Il ne parle presque
jamais, explique la mère. Surtout quand il ne
connaît pas les gens." Ils pénètrent à leur tour dans
le séjour. Le vent, au-dehors, fait un vacarme d'enfer. Elle s'assoit au pied du canapé. Son fils vient
la rejoindre et se love entre ses bras et jambes. Lui,
se laisse glisser le long du mur, en face. Personne ne
parle. Ils n'en ont pas la force. Et puis, qu'auraient-ils
à dire ? Ni lui ni elle n'ont envie de raconter la vie
qu'ils ont passée, luttant, souffrant mille petites
douleurs. Cela n'a plus d'importance. Plus tard,
dans la nuit, elle réalisera qu'il est trempé et elle
se lèvera brusquement pour aller chercher une
serviette et la lui tendre en s'excusant, mais pour
l'heure, elle n'y pense pas parce qu'elle ne pense
à rien. Elle se demande ce qu'il dira lorsqu'il se
mettra à parler, et au fond, elle sent qu'elle redoute
cet instant. Elle est bien, ainsi, cachée dans le vent,

son enfant entre les jambes. Pour la première fois depuis des années, elle se sent soulagée. Elle espère la même chose que lui, sans le savoir : que la tempête dure. Il leur faut du temps. Ils en ont besoin pour reprendre leur souffle. Ils ne sont pas encore prêts pour les mots, pour expliquer la vie qui a passé, la déception qui les a minés. Il leur faut du temps.

Je ne trouve pas de repos. Je marche d'un point à un autre de l'église. Je ne parviens pas à m'enlever de l'esprit le cri qui a retenti. Je me mets à suer. Mes pensées me tourmentent. Qui a appelé dans la nuit ?... Il est encore dehors un désespéré... Il faut que je sorte et brave la tempête. Cette idée me tord le ventre et m'éreinte. Où est le courage ? Faut-il veiller sur mon église ou sortir ? Ceux qui sont à mes pieds, ces grappes d'hommes et de femmes recroquevillés de fatigue, n'ont plus besoin de moi. Ils sont sains et saufs. Je vais et viens. Je sens que ce n'est pas encore terminé. Je dois faire plus.

L'eau, subitement, devient trouble. Quelque chose, quelque part, a dû se casser, ou déborder. L'eau charrie maintenant des immondices. Je ne sais pas d'où ça vient : les latrines ou les cuisines. Une odeur de pourri et de merde nous entoure. C'est suffocant. Nous ne pourrons même plus boire. Nous allons mourir noyés dans nos cellules, avec la gorge sèche. Alors, dans le secret de mon âme, je prie pour que nous soyons engloutis d'un coup, par une vague immense. Il vaut mieux cela. Tout vaut mieux que la lente agonie au milieu des déchets.

Je dois en avoir le cœur net. Je m'approche de la porte et je l'ouvre. Un grand air froid s'engouffre et pousse les deux battants. Les hommes, dans mon dos, se sont réveillés. Ils ont bondi. Je les entends qui m'appellent mais je ne me retourne pas. "Révérend ?... Révérend ?..."

Moi, Josephine Linc. Steelson, toute vieille négresse que je sois, il fut un temps où j'étais enfant et malgré les années qui ont passé, malgré ma silhouette de vieil arbre qui se voûte, je peux encore me souvenir de ma mère, Maddy Steelson. Son visage humble portait, au coin des yeux, les traces de la pauvreté. Elle disait, je me souviens, elle disait : "La femme fermera les yeux de son mari et le mettra en terre. C'est ce que le Seigneur a voulu car il use plus vite les hommes. Puis, lorsque ce sera au tour de la femme de mourir, elle pourra compter sur ses enfants pour lui fermer les yeux. C'est ainsi et maudit soit tout le reste !" Ma vieille mère, qui chiquait, avec sa bouche édentée comme celle d'un enfant de six ans, esclave sans même s'en rendre compte durant toute une vie de poussière, ma vieille mère, dure comme le fer, elle avait raison. C'est ainsi et tout le reste est contre nature. Mais le monde s'est cassé, Maddy. Les choses ne sont plus comme avant et je n'ai pas eu ta chance. Ils ont tué Marley, une nuit d'avril. Je n'étais pas là. Personne ne lui a fermé les yeux. Il est mort au milieu des racines et des écrevisses, dans la puanteur des marais, seul. Le monde de Maddy Steelson est mort. Mes enfants ne me fermeront pas les yeux. J'ai enterré tous ceux que j'aimais. Grant et Liberty, mes deux enfants, devenus adultes, puis devenus vieux à leur tour. Mes enfants auxquels il a fallu que je survive parce que rien ne me crève, moi.

J'ai trop vécu. Le Seigneur se joue de moi. Il me fait vieillir et je vois tout ce qui aurait dû me survivre flétrir et disparaître. Mon fils, Grant, mort dans un accident de voiture à soixante-cinq ans. Ma fille, Liberty, morte à son tour d'un cancer à soixante-dix ans. J'ai bien vu, dans le regard de ceux qui m'entouraient aux obsèques – et ils n'étaient pas nombreux, deux trois voisins à peine et le prêtre –, que personne ne parvenait à me plaindre vraiment, car mes enfants avaient vécu une longue vie. Oui, mais pour moi, vieille négresse aux seins de mère flétris, c'étaient encore mes enfants et ils devaient durer. Il ne me reste que ma vieille carcasse et mes os de nègre maintenant. A quoi puis-je rester fidèle ? Il n'y a que cela qui fasse tenir le monde debout, la fidélité des hommes à ce qu'ils ont choisi. Je voulais être un roc mais il ne me reste que des souvenirs. Je veux être fidèle à Marley, par-dessus soixante-dix années de solitude et tant pis si nous n'avons vécu ensemble que quatre petites années, tant pis si j'étais une gamine aux seins fermes et aux jambes galbées qui riait souvent de sa propre jeunesse, je suis fidèle à Marley parce que cela seul éclaire la solitude des années que j'ai passées à veiller sur mes enfants avec ma rage et mes griffes – et pourquoi l'ai-je fait, au fond, si c'était juste pour nourrir la mort ? Je suis fidèle à Marley et j'irai mourir dans le bayou où ils l'ont noyé. Il n'y a que cela qui ait un sens. Puisque personne n'est là pour me fermer les yeux, je les garderai ouverts, et les poissons viendront se réfugier dans ma chevelure. Il y aura cela, au moins, qui fera tenir le monde. La vieille Josephine, négresse par principe depuis presque cent ans, flottera dans les mêmes eaux que son homme et une chose, au moins, ici-bas, sera à sa place.

D'un coup l'électricité saute, nous plongeant dans le noir. Tockpick se met à crier et il y a de la joie dans sa voix. Il ne cesse de répéter : "La porte !… La porte !…" Nous l'entendons s'affairer, souffler, gémir. "Qu'est-ce que tu fais ?" demande Avon Long Legs. Tockpick ne répond pas. Il démonte son lit, prend un des barreaux pour s'arc-bouter contre la porte, et soudain, elle lâche. L'eau quelque part a dû atteindre la salle des machines. L'électricité a sauté, les portes se sont déverrouillées. Tockpick a réussi à sortir. Nous le voyons passer devant nous, gesticulant comme un diable. C'est lui qui nous sauve. Il ne court pas pour s'enfuir le plus vite possible. Il va à la porte de la cellule d'à côté pour aider Lazy Marty à sortir, puis il vient voir où en est chacun d'entre nous. S'il avait profité de sa liberté pour disparaître, pour filer dans les couloirs, certains d'entre nous, sûrement, auraient réussi à leur tour à ouvrir leur porte mais nous n'aurions pas été un groupe. C'est Tockpick qui fait de nous un groupe. Je fais comme les autres. Je me rue sur la porte de ma cellule. Il faut avoir la force de la pousser. Elle est inerte comme un corps mort mais elle s'ouvre. Boons est sorti. Puis Tush. Puis Volmann. Les uns après les autres, nous sortons et filons pour essayer de mettre le plus de distance entre nous et l'eau croupissante de Parish Prison. L'odeur de merde s'éloigne et le bruit de la tempête devient plus fort. Nous allons enfin voir l'ouragan. Tockpick casse un carreau de la grande salle du réfectoire. Le vent s'engouffre avec violence. Nous sentons, pour la première fois depuis des années, la morsure vive du vent. Nous quittons la prison et à cet instant, tandis que nous traversons la grande cour du pénitencier, l'ivresse est plus grande que la peur.

Le monde se tord. La nuit siffle, crache et me perce les tympans. Je laisse l'église derrière moi. Peut-être est-il encore des hommes, là-bas, pour se demander où je suis parti et pour appeler dans la nuit : "Révérend ?… Révérend ?…" mais je ne les entends pas. Il n'a fallu que quelques secondes pour que le déluge me rince entièrement. Je suis trempé. Mes chaussures sont lourdes, les habits me collent à la peau. Je suis au cœur de la tempête et je ne discerne plus rien.

Nous sommes neuf, enfuis dans l'orage. Boons, Volmann, Lazy Marty, Avon Long Legs, Tockpick, Pickow, Swinging Louis, Tush et moi, Buckeley. Nous sommes neuf qui n'avons pas couru depuis des siècles et, malgré nos jambes ankylosées, malgré notre souffle court, nous sourions en notre âme. Il nous aura été donné de sortir. L'ouragan nous cache et nous protège. Qui viendra nous demander quoi que ce soit lorsque tout tremble dans les rues ?… Qui, même, nous voit ?… Il n'y a plus personne. Je ne reconnais plus rien. C'est bien. La ville non plus ne nous voit pas. Nous nous éloignons de Parish Prison. L'eau est partout. La force du vent nous épuise. Mais rien ne nous empêchera d'avancer. Pourquoi sommes-nous tous restés ensemble ? La peur, peut-être, de ce ciel qui craque au-dessus de nos têtes, ou l'habitude d'être côte à côte depuis tant d'années… Nous avons trouvé un hangar, nous nous sommes glissés dedans et nous nous sommes jetés à terre, épuisés. C'est alors que Tockpick s'est mis à rire, d'un rire nerveux que nous avons aimé, d'un rire trop grand pour sa bouche mais qu'il ne pouvait plus contenir et j'ai ri avec lui pour remercier l'ouragan qui nous ramenait à la vie.

IV

D'UN COUP, LE SILENCE

Soudain, Keanu lève les yeux. Elle est surprise et tend l'oreille à son tour, essayant de percevoir ce qui l'a fait sursauter. C'est le silence. Pour la première fois depuis des heures, la porte de la cuisine ne bat plus. "Le vent est tombé", dit-il et il lui semble qu'il y a comme un regret dans sa voix – mais peut-être se trompe-t-elle.

C'est Tush qui le remarque en premier. Il se dresse comme un chien aux aguets, sur la pointe des pieds pour voir au travers de la grande vitre du hangar et murmure avec une voix émerveillée : "C'est fini, les gars." Alors, Avon Long Legs ouvre la porte pour vérifier. L'air est immobile. Avon sourit et dit avec une voix d'empereur : "Merci le déluge." Il a raison. C'est la pluie qui nous a libérés, les hommes, eux, nous avaient oubliés. Nous nous ébrouons dans la rue, avec jubilation. Je ne sais pas ce que je vais faire. Je ne peux pas rester en Louisiane. J'ai tué ici. Je passerai peut-être au Mexique, avec Boons, s'il le veut. Je regarde Avon Long Legs qui se met à danser dans l'eau, mimant, pour rire, les négrillons qui s'agitent dans le quartier français pour trois sous, balançant ses bras et ses jambes comme une marionnette, soulevant des paquets d'eau chaque fois qu'il bouge les pieds. Il danse et les gars, autour, sifflent comme on le ferait devant une jolie fille, Volmann surtout et Lazy Marty. Je respire cet air qui ne sent ni le réfectoire ni l'acier, je respire avec bonheur. Tout à coup, une sirène retentit. Nous nous figeons. Personne ne l'a vue venir. Une voiture de police est là, avec les gyrophares allumés. Elle remonte la rue avec de l'eau jusqu'au pare-chocs. Avant que nous ayons pu faire quoi que ce soit, deux policiers en jaillissent, arme à la main. Je connais cela. C'est ce qui s'est passé à Baton Rouge, il y a huit ans. Oui, je connais : les mains qui tremblent, la peur chez tout le monde. Je ne bouge pas. Un des deux agents est déjà sur nous. Il regarde nos uniformes de prisonniers et va de l'un à l'autre en nous menaçant de son arme. "Combien êtes-vous là-dedans ?" demande-t-il et, sans attendre de réponse, il crie : "Dehors ! Tout le monde dehors !" Je vois Tockpick qui hésite. Il se retourne pour regarder le hangar derrière lui et voir s'il y a moyen de s'évader. Je repense au parking de Baton Rouge, huit ans plus tôt. La patrouille de police qui veut contrôler nos identités, l'obscurité qui rend les choses dangereuses, mon arme, à la ceinture, dont, à cet instant, je voudrais me débarrasser, Will qui s'échauffe et finit par faire un geste brusque, la peur du policier en face, le coup de feu qui part, le corps de Will qui s'effondre, l'arme ensuite braquée sur moi, je revois la peur sur le visage de celui qui vient de tuer mon ami, la peur de ce qu'il vient de faire, de ce qui va venir, je sens qu'il va m'abattre, sans raison, parce que, dans la panique qui le saisit, c'est la suite logique de ce qu'il vient de faire, il va m'abattre parce qu'il ne contrôle plus rien, parce que j'ai une arme, parce que je suis un nègre dans l'obscurité, alors je tire moi aussi, avant lui, et il tombe, huit années d'incarcération hurlent à mes oreilles, huit années rient dans la nuit, ma vie vient de se défaire en une seconde, huit années de remords et de solitude, et ce sang sur mes mains qui va me souiller à jamais, je revois tout cela, je ne bouge pas et je prie pour que Tockpick fasse de même. Il n'y a pas d'issue. Il le voit. Il se résigne. Je souffle avec soulagement. Le policier, effrayé par notre nombre, craignant de ne pas contrôler la situation, nous ordonne de nous mettre à genoux, les uns à côté des autres, pour qu'il nous voie bien tous. Nous le faisons à l'endroit même où dansait quelques instants plus tôt Avon Long Legs. Nous sommes à genoux à nouveau et j'entends le rire du ciel qui se moque de nos vaines espérances.

Est-ce cela que Vous avez voulu ? Le chaos d'abord, puis le silence, plus effrayant encore. Je me fige. La nuit s'est tue. J'ai cru que le jour ne se lèverait jamais plus. Tout est mort et sans mouvement. Où sont passés les hommes ?… Suis-je le seul à être resté dans la ville ?… J'avance péniblement. Je suis épuisé et chancelant. D'immenses flaques d'eau dessinent dans les avenues des taches couleur d'acier. A cette heure, au milieu des débris, Vous le savez, je suis nu comme au sortir de ma mère, plus nu encore, car à l'époque, du moins, avais-je ses bras de mère pour me tenir chaud. J'ai plus peur que lorsque je me battais contre les rafales de vent et que la tourmente grondait à mes oreilles. Je suis venu secourir les désespérés mais je ne vois personne et j'avance avec timidité. Et puis, d'un coup, au loin, j'entends à nouveau la voix, celle qui m'a fait quitter l'église, aiguë et pénétrante. Je suis incapable de dire si elle appelle à l'aide ou si elle veut secourir, si c'est moi qui la suis ou elle qui me cherche, mais nous sommes deux, dans ce monde détruit, deux, et je cours vers elle. Plus j'approche et moins je distingue ce qu'elle dit, plus j'approche et plus le son me semble étrange. Je me demande si ce ne sont pas les maisons qui crient ainsi, les maisons que nous avons abandonnées et que le vent a éventrées. Je me demande si ce ne sont pas les trottoirs qui se noient et appellent à l'aide, ou les poteaux électriques arrachés qui se lamentent d'être inutiles à jamais.

Elle veut se lever mais elle se rend compte que l'enfant dort entre ses jambes. Le vent est tombé et la nuit les entoure. Ils sont encore hésitants comme si, en une seconde, tout pouvait recommencer, comme si, tapie quelque part, une menace attendait qu'ils baissent leur garde pour surgir et les engloutir. Ils ne bougent pas. Il y a au cœur de cette solitude quelque chose qu'ils ne veulent pas voir disparaître. Le temps, peut-être, de profiter d'une douceur qui n'appartient qu'à la nuit lorsqu'elle est partagée. Elle lui a demandé, profitant du calme et du sommeil de son enfant, elle lui a demandé ce qu'il avait fait durant toutes ces années. Il garde le silence. Il ne sait pas ce qu'il peut dire. Il se méfie de lui-même. S'il se met à évoquer la plate-forme, il craint qu'elle ne prenne peur mais il ne veut pas mentir. Il la regarde calmement, comme on le fait une dernière fois pour évaluer la distance avant de sauter, il plonge dans ses yeux noirs, il comprend qu'elle est toute proche, que ce soir, à cause du vent, de la pluie, du chaos dehors, ce soir, elle est prête à tout entendre et qu'aucune peur n'est en elle. Alors il parle, sans bouger, toujours assis au pied du mur en face d'elle. Il dit que sa vie n'est rien, que, certains matins, il se sait mort, il dit qu'il a perdu sa vie, quelque part durant ces six années et qu'il ne sait plus ni où ni comment, peut-être était-ce dès le soir de son départ, peut-être plus tard, dans l'odeur écœurante du pétrole. Il dit qu'il est loin de lui-même, qu'il n'arrive plus à être avec les choses. Il lui parle de cette fatigue, de ce sentiment tenace d'inutilité qui ne le laisse plus en paix. Tout est lourd et vain et il voit une longue vie laborieuse s'étendre devant lui. Il dit, avec une voix rauque et franche, qu'il a tout raté. Il ne le dit pas pour se plaindre mais parce que c'est vrai. Ou plutôt rien n'a réellement commencé. Il parle du pétrole, de la plate-forme, de toutes ces heures de travail accumulées, puis il fait un signe avec les bras et c'est pour tout balayer du revers de la main. Il se tait et baisse les yeux. Il ne parle pas de la pute de Houston alors que, à cet instant, c'est elle qu'il a en tête, la pute qui criait sur Jimmy. Mais il pourrait. Il n'a plus de pudeur. Il veut qu'elle sente cela en lui. Il ne demande rien. Il veut juste montrer sa nudité. Elle écoute sans jamais le quitter des yeux. Jamais personne ne lui a parlé ainsi. Elle ne peut rien répondre. Que pourrait-elle dire ? Elle écoute et c'est comme de boire, boire jusqu'à plus soif, une eau longtemps attendue.

Les deux policiers ont discuté longuement, à voix basse, puis ils nous ont annoncé que nous allions prendre la direction du Convention Center, au centre-ville. Nous marchons les uns derrière les autres, comme une colonne de forçats qui part travailler dans les plantations. L'un des deux est monté dans la voiture et roule au pas derrière nous, tandis que l'autre marche à nos côtés, l'arme à la main. La servitude, à nouveau, impose à nos corps le rythme lent de la marche. L'eau est lourde à soulever à chaque pas. Je suis derrière Pickow qui grogne, plié en deux. "Maudite chiasse…" murmure-t-il, et il demande à l'agent s'il peut s'arrêter. Il a des crampes d'estomac et le teint crayeux. N'importe qui verrait qu'il ne va pas bien mais le policier a peur et il lui dit de continuer à marcher. Nous traversons la ville, pas à pas. C'est un spectacle d'apocalypse. La fureur du vent a tout arraché, une ville entière couchée à terre, déchirée. Les portes des maisons pendent avec tristesse, à moitié dégondées. L'eau charrie un amas d'objets de toute sorte. Il ne reste plus personne. Une ville vide dans laquelle nous avançons comme une armée en déroute, tête baissée. Il n'y a plus rien que les traces du déchaînement. Tout est cassé et laid. Nous sommes prisonniers dans un monde qui n'existe plus, mais prisonniers toujours et je vois bien que les deux policiers sont consternés eux aussi par ce qu'ils voient, impressionnés d'être seuls dans une ville renversée, alors je dis au plus jeune qui marche à mes côtés, d'une voix franche, sans sourire pour qu'il ne pense pas que je me moque de lui, je lui dis que tout cela est absurde, je lui demande de réfléchir et de nous laisser partir, que chacun aille pour son compte et tente de survivre, le temps n'est plus à être policiers mais juste à filer d'ici, et peut-être que celui dans la voiture ne serait pas contre, mais celui à qui je parle a faim, une faim de jeune homme, il me regarde avec défi et il répond d'une voix de maître : "Ecoutez-moi bien." Il force sa voix pour qu'on n'y perçoive pas la peur et ce n'est pas qu'à moi qu'il répond mais à tous les gars : "Ecoutez-moi bien, s'il n'y a plus personne à Parish Prison, on vous emmènera au pénitencier d'Angola, vous m'entendez ?… Et s'il faut y aller à pied, on ira à pied…" Il le dit pour nous impressionner mais je n'abandonne pas, j'essaie encore, il ne comprend pas que je le fais pour lui, pour le sauver parce que nous sommes des bêtes et que nous mordrons s'il veut nous enfermer. Je dis que personne ne saura que nous nous sommes croisés, je répète qu'il n'y a pas de policiers et de prisonniers mais seulement onze hommes qui essaient de survivre, alors il serre les dents et lâche : "Ferme ta gueule !" Je me tais. Tant pis pour lui. Nous marchons dans les rues dévastées à la recherche d'une prison. Oh comme nos vies sont tristes d'être toujours si laides, car même ainsi, à l'air libre, dans une ville sans habitant, nous sommes une colonne de prisonniers.

Ça y est. Je le vois, l'homme qui arpente la ville en criant. Comme il est étrange. Je l'appelle. Il lève la tête et m'observe. Il est à l'autre bout de la rue. J'avance vers lui. Il ne bouge pas. Il me regarde avec de grands yeux d'oiseau, sans étonnement, prenant acte, simplement, de ma présence. Il y a quelque chose en lui de difforme. Il est petit, sans ventre dirait-on, et d'une maigreur maladive. Sa tête, en proportion, semble immense. Je suis incapable de lui donner un âge. Tout se brouille en lui. Il a la taille d'un enfant et une barbe de vieillard, une voix de fillette mais de longues rides qui lui cisaillent les joues. Je m'approche. Il ne parle pas, me regarde toujours. "Comment t'appelles-tu ?" Je lui pose cette question pour qu'il n'ait pas peur, pour qu'il voie que je viens à lui le cœur ouvert. "Paul the Cripple", répond-il. Puis, il ajoute : "Il faut aller au cimetière." Un simple, Seigneur, Vous avez mis sur ma route un simple pour que je le ramène, alors, je lui tends la main, mais il fait un pas en arrière, je lui dis de venir, de me suivre, que je vais m'occuper de lui et de tout mais il recule encore et je vois qu'il tient à la main un hachoir de boucher. "Paul the Cripple doit aller au cimetière", répète-t-il. Je lui dis mon nom, j'essaie d'être calme et rassurant mais il n'écoute plus. Il tourne les talons et part en direction du nord. Il est torse nu, avec juste un étrange collier autour du cou, comme des coquillages ou des ossements. Je ne peux pas le laisser disparaître. Il se met à appeler à nouveau, sans plus se soucier de moi, poussant de longs cris aigus qui ne disent rien, comme on le fait parfois pour appeler les chiens ou les brebis, de longs cris et je ne sais si c'est pour prévenir le monde de sa présence ou pour saluer les façades détruites des maisons.

"Il n'y a rien eu depuis toi." Elle a juste dit cela. Lorsqu'il s'est tu, elle a juste dit ces mots. Et puis, comme si elle réalisait ce qu'elle venait de dire, doucement, elle passe la main dans les cheveux de son fils endormi pour bien montrer qu'elle ne l'oublie pas, qu'elle l'inclut dans ce qu'elle affirme, sans violence, avec douceur. Elle l'inclut parce que c'est vrai et qu'elle veut, à son tour, être dans la nudité vraie des choses. Il est le fils de rien. De sa vie de rien. Il est né dans ce temps-là, celui de l'abandon et de l'ennui. Les larmes lui montent aux yeux mais elle se retient et elle reprend avec une voix profonde : "Il n'y a rien eu." Il a voulu se lever pour s'approcher d'elle mais elle a repris la parole. Elle n'a pas terminé. "Je ne t'attendais pas, je n'attendais plus rien", dit-elle. Puis elle ajoute qu'il n'y a plus que lui, son fils qu'elle ne sait pas aimer parce qu'elle ne parvient pas à oublier avec qui elle l'a fait, il n'y a que lui, son amour raté et elle s'accroche à lui parfois plus qu'il ne s'accroche à elle. Elle dit encore qu'elle n'est rien, rien d'autre qu'une femme épuisée. Il voudrait se lever, à nouveau, mais cette fois, il ne peut plus. Un poids l'en empêche. Il sent qu'il ne doit pas lutter contre, il va de pair avec le silence et ce sont leurs alliés. Il reste là, laissant les mots qu'elle a prononcés résonner dans sa tête. Elle est belle, infiniment belle de ses rides naissant au coin des yeux, du combat que se livrent sur son visage la jeunesse et l'usure. Elle est belle, pleine de force et lézardée de doutes. Alors, il répond simplement, mais d'une voix très basse, presque pour lui seul : "C'est pour cela que je suis revenu" et au mouvement de tête qu'il fait en prononçant ces mots, à son inclination, elle comprend qu'il ne répond pas à ce qu'elle a dit mais qu'il parle de tout ce qui les entoure, de tout ce qu'ils sont en train de vivre depuis quelques heures : les deux corps face à face dans ce salon, l'enfant qui dort, l'intensité de l'air traversé par leurs mots, leurs vies mises à nu. C'est pour cela qu'il est là. Elle sourit et le remercie en pensée. Alors il se lève, la rejoint et approche doucement les mains de son visage. Elle se laisse faire. Il ne dit pas un mot. Il prend le temps de la regarder et ce regard n'est pas dur à soutenir comme tous ceux dont elle a l'habitude, ce regard est un abri qui l'enveloppe. L'enfant dort. Elle vient de le déposer dans son lit. Il approche ses lèvres de sa joue et il l'effleure. Elle l'attire contre elle et le serre. Elle peut sentir, à travers le tissu du T-shirt, la force de son corps et la vigueur qui l'anime. Elle l'embrasse. Elle a envie qu'il la parcoure de ses doigts, de ses lèvres, qu'il la pénètre et la comble. Elle a envie de sentir son désir à lui, qui est là, dans la dureté de ses muscles, dans la pression qu'il exerce sur elle. Elle veut succomber pour que tout s'efface. Lorsqu'elle bascule sur le lit, enivrée de son odeur, le monde disparaît. Il n'y a plus que lui, le goût de sa sueur et la vigueur de ses muscles.

V

COURS, PETIT NÉGRILLON

Le jour s'est levé mais je sais que le pire nous attend. L'heure qui vient, c'est celle des chacals, et moi, Josephine Linc. Steelson, je sais reconnaître leur odeur entre mille. Je suis montée au premier étage et je me suis assise près de la fenêtre en faisant bien attention à cacher ma vieille tête de négresse derrière le voilage. Je veux voir sans être vue. Et je ne me suis pas trompée. Les ombres envahissent les rues et prennent possession de la ville. Ils seront pires que le vent.

Depuis tant d'années nous vivons côte à côte, partageant les longues heures de nos vies ratées, qu'il n'est pas besoin de parler. Depuis tant d'années nous connaissons des uns et des autres les plus infimes nuances d'humeur qu'il n'est pas besoin de se prévenir. Depuis tant d'années nous avons appris à n'être qu'un seul corps, à réagir aux mouvements des autres, à anticiper leurs pensées, que, dès que nous avons vu Volmann tomber à terre en gémissant, nous avons su que c'était faux, nous avons su que quelque chose commençait que personne n'avait véritablement décidé mais à quoi chacun allait participer. Volmann est tombé et Lazy Marty, presque instinctivement, s'est posté devant la voiture, avec Tush et Swinging Louis, pour que

le policier ne puisse rien voir et qu'il soit obligé
de sortir, tandis qu'Avon Long Legs, Boons et moi,
nous nous sommes approchés de Volmann comme
l'auraient fait des badauds et le jeune flic n'a pas
fait attention au fait qu'aucun d'entre nous ne se
penchait vraiment, qu'aucun d'entre nous ne se-
courait son camarade à terre. Tout s'est fait sans
que nous parlions, chacun trouvant sa place. Je
n'avais pas envie de faire cela mais je l'ai fait comme
les autres, d'instinct. Nous vivons côte à côte depuis tant d'années, que plus personne ne décide
réellement. Je me suis mis avec les autres, serré
pour que le groupe soit le plus compact possible.
Le jeune policier s'est penché sur Volmann et tout
était prêt, nous savions ce qui allait se passer, nous
le savions depuis qu'il avait parlé du pénitencier
d'Angola parce qu'il était évident qu'aucun d'entre
nous n'accepterait d'aller là-bas. J'aurais pu décider de fuir, à ce moment précis, le seul moment
peut-être où personne n'aurait noté mon absence
parce que chacun était à sa tâche, j'aurais pu mais
je vis avec eux depuis tant d'années que je ne décide plus de rien, alors j'ai pris ma place moi aussi
et Tockpick est arrivé par-derrière, il a enroulé son
bras autour du cou de l'agent et il a serré. Le policier s'est débattu mais nous étions tous autour de
lui, un groupe compact, il ne pouvait rien, ni ses
coups de pied ni ses soubresauts. Il ne pouvait
rien que mourir et avant même qu'il ne s'affaisse,
bouche ouverte, langue molle, Avon Long Legs lui
a pris son arme et lorsque Tockpick a lâché prise
pour le laisser tomber dans l'eau sale de la ville,
il l'a fait avec une sorte de désintérêt, les yeux déjà
braqués sur celui de la voiture qui sortait en trem-
blant et découvrait avec terreur le corps inerte de
son collègue barbotant dans l'eau, cou cassé.

Ils sont allongés, l'un à côté de l'autre, dans une épaisse torpeur. L'humidité de l'air qui les entoure les rend indolents. Le temps est aboli. Elle ne sent plus qu'un grand bien-être. Un homme est là, nu, contre elle. Ils ont joui dans une entente profonde et ils ne veulent ni parler, ni bouger pour ne rien rompre de cet instant. Mais soudain, des bruits de voix se font entendre au-dehors et brisent la fragilité du silence. Il bondit hors du lit. Cela la fait sursauter. A la lourdeur de son corps, elle l'avait cru endormi. Elle se tourne et le regarde. Il est maintenant à la fenêtre, observant la rue. Elle contemple cet homme, la beauté de son dos massif et de ses fesses. Il est beau – non pas qu'il soit parfait, mais parce qu'il a cette force puissante qui rend un homme indéracinable. Elle le contemple, espérant qu'il soit possible de faire durer cet instant, espérant que, pendant des heures encore, il lui soit donné de le contempler sans parler, mais sa voix résonne et la sort de ses pensées. Il a ouvert la fenêtre et interpelle des gens en bas. "Où allez-vous ?" Sa voix chasse le bonheur et la suavité de la chambre, comme un courant d'air emporte les parfums. Elle se dresse sur le lit. Elle ne voit pas les gens à qui il parle mais elle entend très distinctement une voix d'homme âgé lui répondre : "Il paraît qu'ils ont fait un abri au Superdome." Elle se lève et passe dans la salle de bains. Il ferme la fenêtre et va à sa rencontre, pour lui dire que des quantités d'hommes et de femmes défilent sous les fenêtres, des familles entières, toutes noires, hagardes, et qu'il vaudrait peut-être mieux faire comme eux et essayer de rejoindre le grand stade, mais il ne peut pas. Lorsqu'il est face à elle, il est frappé par sa pâleur. Elle a la bouche entrouverte, pleine d'effroi et elle dit, du bout des lèvres : "Byron n'est plus là."

Je l'ai vu, moi, Josephine Linc. Steelson. Mes yeux ne me trompent pas. Un petit négrillon, pas plus haut qu'une chèvre, un petit négrillon qui marchait d'un pas décidé. Je sais reconnaître ce qui est normal et ce qui ne l'est pas. Je me suis dressée sur mes vieilles cannes de mule et je l'ai hélé. "Petit négrillon !… Petit négrillon !…" Il s'est arrêté, le petit homme. Il m'a regardée. Il a pris tout son temps. J'ai tout de suite compris à sa mine que c'était un cas, celui-là, un cas comme je les aime, le genre à ne rien écouter que sa tête butée. Cinq ans, six peut-être, mais déjà envie de défier la terre entière. Dur, le négrillon. Avec un regard de rapace. J'ai su ce qu'il allait faire avant qu'il le fasse. Il m'a regardée et puis il a filé. Je l'ai vu tourner au coin de la rue. Comme ça. Il ne m'a même pas répondu, même pas fait un signe. Il s'est arrêté pour me montrer qu'il m'avait entendue, il m'a regardée même, puis il a tourné les talons pour bien me signifier qu'il s'en foutait. Je sais que ce gamin-là ne va nulle part. Je le sais mais il y va avec une résolution de forcené. Le monde se tord de douleur, tout est sens dessus dessous et je ne peux rien, moi, même pas récupérer un gamin perdu dans la tempête.

Il a fallu du temps pour qu'elle se calme. Elle est restée longtemps, les lèvres tremblantes, à marcher d'une pièce à l'autre. Les minutes passaient et elle ne prenait aucune décision. Elle s'agitait et se perdait dans sa propre panique. Où avait pu aller l'enfant ? Comment allaient-ils faire pour le retrouver ? Comment avait-il pu sortir sans qu'ils n'entendent rien – et pour aller où ? Elle s'enivrait de toutes ses questions. Il l'a prise dans ses bras pour qu'elle arrête de marcher et de tourner et il lui a dit qu'ils allaient le retrouver. Elle le regarde maintenant avec un air étonné, se demandant en quoi cette histoire le concerne, en quoi la vie de son petit enfant raté peut l'intéresser, mais elle ne lui en fait pas la remarque. Elle fait oui de la tête, sans rien dire. Il répète qu'ils vont le retrouver, comme pour qu'elle s'en convainque elle-même. Puis il lui dit de s'habiller. Elle obéit. Ils quittent la maison. Lorsqu'il ouvre la porte, elle se fige, le regard perdu, contemplant avec horreur l'immensité de cette ville à fouiller.

Lève-toi, Josephine Linc. Steelson, vieille négresse usée par le temps et fatiguée d'avoir trop parlé, trop crié, trop mordu. Lève-toi et ne t'épargne rien. Marche. Cours si tu peux. Oh oui, j'y vais et même si je marche lentement, peureusement, à la vitesse de l'inutilité, il ne sera pas dit que la vieille négresse a laissé passer un négrillon sous ses fenêtres sans essayer de le rattraper, un négrillon qui n'allait nulle part et qui ne répondait à personne parce qu'il voulait qu'on le laisse aller nulle part. Je ne sais pas si j'y parviendrai, mais dans un monde qui marche tête renversée, dans un monde où les grenouilles des bayous ont été projetées dans les airs comme des nuées de sauterelles et sont retombées sur la ville en une pluie de chair morte, il doit au moins y avoir encore un peu de sens et une négresse de mon âge peut encore courir au cul d'un enfant.

"Byron ?…" Ils ont pris instinctivement la direction du centre-ville. Elle crie sans cesse le nom de son fils. "Byron ?…" Dans les rues silencieuses, sa voix semble infiniment seule et désespérée. Parfois, ils distinguent une silhouette à une fenêtre, alors ils demandent si quelqu'un a vu un petit garçon, six ans, marcher seul dans la rue, mais les gens disent non ou ne répondent pas. Tout en cherchant, il réfléchit que le gamin peut être n'importe où. Tout dépend de l'heure à laquelle il a quitté la maison. Il peut avoir quatre ou cinq heures d'avance sur eux et, dans ce cas, il a pu rejoindre n'importe quel point de la ville... Quelqu'un a pu l'intercepter... Il a pu se perdre mille fois... Il ne dit rien de tout cela à Rose mais il sent d'emblée que chercher ainsi est absurde. Et pourtant que peuvent-ils faire d'autre ?... Rester tous les deux dans la maison en attendant que tout cela soit fini et qu'il y ait enfin un endroit où aller demander des informations sur les disparus ?... Ou attendre qu'il revienne, seul, comme il est parti... C'est impossible. Leur peur a besoin de cette course. Il regarde Rose. Pour l'instant, son angoisse l'aveugle et lui dissimule l'inutilité de la recherche, alors ils courent, tous les deux, ponctuant leur marche par le nom du petit. "Byron ?..." Comme s'ils demandaient aux murs de la ville eux-mêmes de les aider.

Nous marchons côte à côte, Paul the Cripple et moi. Il ne me regarde jamais. Il répond à mes questions lorsqu'il les comprend, mais rien ne le fait s'arrêter dans sa marche. J'ai demandé où était sa maison, il a répondu : *"Old man"* en montrant la direction du sud. Je ne sais pas s'il évoque son père ou s'il me montre le Mississippi. Il parle sans cesse du cimetière où il doit se rendre. Je vais l'accompagner jusque-là, puis je le convaincrai de me suivre. Nous marchons vers le quartier de Metairie. Les rues sont de plus en plus inondées mais il avance avec obstination.

"Byron ?..." C'est toujours le même nom prononcé avec toujours plus d'angoisse au fur et à mesure que le temps passe. "Byron ?..." Personne ne répond. Personne ne les aide et ils continuent à appeler. "Byron ?..." Sa voix est dérisoire dans cette ville immense et elle sent qu'elle va s'épuiser ainsi et qu'elle finira en larmes, assise sur un trottoir, écrasée par sa détresse, à murmurer toute seule à l'infini : "Byron ?... Byron ?...", comme si elle le disait à la paume de ses mains. Elle sent qu'elle va se perdre mais Keanu est là, à ses côtés, et elle s'appuie sur sa présence.

Je cherche, toute vieille négresse que je sois, j'appelle dans les rues et je dis : "Petit négrillon ?..." Je le crie régulièrement : "Petit négrillon ?..." Je cherche, je suis tenace, je marche le plus vite possible malgré mes jambes sclérosées de vieille négresse, je marche, je crie : "Petit négrillon ?..." Maudit soit le monde si nous laissons les enfants courir vers nulle part et tant pis si ma voix a l'intonation d'une vieille crécelle de négresse, j'appelle pour sauver le monde et c'est tout. "Petit négrillon ?... Petit négrillon ?..."

Il ne peut pas le dire à Rose – comment comprendrait-elle ? Elle est juste terrifiée et sa voix tremble de plus en plus chaque fois qu'elle prononce le nom de son fils – il ne peut pas le dire mais il se sent fort, infiniment plus fort que sur la plate-forme. "Byron ?..." Il continue à appeler. Il pourrait le faire pendant des heures sans que rien n'entame ses forces mais il voit qu'elle n'en peut plus, que les rues vides vont venir à bout d'elle. Elle ne tardera pas à s'effondrer s'ils poursuivent ainsi, de bloc en bloc. Alors, il dit que le mieux serait d'essayer le Superdome. Au regard qu'elle lui lance, plein d'espoir d'un coup, il comprend qu'il a bien fait. Elle a besoin de croire que c'est une bonne idée. Elle a besoin qu'on lui dise ce qu'il faut faire et essayer. Il faut qu'elle puisse s'imaginer que l'enfant est là-bas.

Le deuxième policier ne s'approche pas. Il recule, pas à pas, bouche ouverte, levant doucement les bras pour montrer qu'il n'a aucune intention de se servir de son arme, qu'il veut juste s'éloigner de nous. Il recule mais cela ne peut pas s'achever ainsi, je le sais, moi. Il lève les bras en essayant de nous garder tous dans son champ de vision. Il s'éloigne, abandonnant sa voiture et le corps de son collègue, puis il nous tourne le dos et se met à courir. Tockpick ne dit rien mais il continue à le fixer sans bouger. S'il rompait cette immobilité, s'il se mettait à parler, donnait un coup de pied au cadavre ou une tape sur l'épaule de Volmann pour le féliciter de sa prestation, nous comprendrions qu'il faut passer à autre chose, que le deuxième flic n'a aucune importance, qu'il n'existe plus, mais ce n'est pas ce qu'il fait. Il reste parfaitement immobile, les yeux rivés sur le policier, le visage sans expression et c'est comme un ordre, alors Avon Long Legs tend son bras, arme son pistolet et tire et le policier s'effondre avec un bruit sourd, une balle dans le dos. Puis, comme si ce qu'il venait de faire était anodin, Avon se tourne vers nous avec un large sourire et se met à danser à nouveau dans l'eau, mimant les cireurs de chaussures d'autrefois avec un œil fou et les cheveux en bataille. Je me sens poisseux et c'est une façon de n'être pas encore tout à fait libre. Je ressemble aux hommes qui m'entourent. Le vieux policier gît quelques mètres plus loin, avec un voile d'étonnement dans les yeux parce qu'il ne saura jamais qui de nous l'a tué, il ne saura jamais quelle main a tiré et peu importe au fond, nous ne sommes qu'un grand corps à neuf têtes. Tant pis si je n'ai pas envie d'en être, tant pis si je voulais partir, j'ai tué aujourd'hui, je l'ai fait avec eux. Je regarde Avon Long Legs danser et, malgré l'obscénité qu'il y a à le faire alors que deux cadavres gisent à ses pieds, je souris, soulagé. Personne ne nous ramènera en prison.

Dieu seul sait où il est, le petit négrillon, Dieu seul sait si mes yeux de vieille négresse le reverront jamais, je pourrais aussi bien retourner chez moi et attendre qu'il repasse, mais je suis fatiguée, je souffle de plus en plus. Le petit négrillon, je ne le retrouverai pas. Le petit négrillon s'est joué de moi, il doit être loin à l'heure qu'il est alors je m'assois sur le trottoir et j'attends que mes forces reviennent.

Les hommes ne sont plus maîtres des heures, et au fond, il sent que c'est cela qu'il aime. Peut-être est-ce pour cette raison qu'il a pris sa voiture et a roulé droit sur La Nouvelle-Orléans, pour perdre le contrôle, parce que, sur la plate-forme, l'homme décidait de tout, des heures de pompage, de la quantité de pétrole à extraire, il n'y avait plus de nuit ni de jour, il n'y avait plus rien que l'activité de l'homme et la nature assujettie, tandis que maintenant, il est face à la brutalité des choses et même atteindre le Superdome est difficile.

Tout est difficile pour la vieille négresse que je suis, même de reprendre son souffle. Je ne suis plus rien qu'une vieille chose. Tout est difficile puisque nous avons perdu le petit négrillon. Il court Dieu sait où. Nous ne sommes plus capables de rien et nous laissons l'ouragan manger nos enfants.

Nous arrivons enfin devant les grilles du cimetière. Ici, tout est noyé sous l'eau. Paul the Cripple veut entrer. Je le suis. Il avise une petite colline et la gravit en courant, puis, une fois arrivé en haut, il se met à piaffer de joie et pousse des cris de satisfaction. Je le rejoins. O spectacle inouï du cataclysme. Sous nos yeux, le cimetière s'étale en une vaste plaine inondée. Aux statues et mausolées qui surnagent se sont accrochés des algues et des branchages charriés par le vent. Et partout, marchant élégamment, avec indifférence, des flamants roses. Une nuée de grands oiseaux. Paul the Cripple me montre du doigt certaines tombes en sautant littéralement de joie : des grappes de singes de différentes espèces s'accrochent aux croix ou sautent de l'une à l'autre. Plus loin, des perroquets multicolores ont élu domicile sur des toits de caveaux, caquetant dans le silence des marais. "C'est le zoo, dit-il avec joie. Tout cassé, le zoo !..." Je contemple ces animaux aux couleurs inouïes, ces singes qui bondissent et se grattent avec indifférence. Nous découvrons soudain un grand cerf aux bois larges couleur de chêne, qui nous regarde avec surprise. Je Vous bénis, Seigneur, Vous mettez de la beauté en toute chose. Paul ne bouge plus. Il boit des yeux ce spectacle. Puis, lorsque je lui tape sur l'épaule pour lui dire qu'il est temps de partir, il me dit : "Attends !" avec l'impatience d'un enfant. "Attends" et, devant mon incompréhension, il ajoute avec un mélange d'appréhension et de joie : "Ils vont venir !"

VI

MAÎTRES DES RUES

Paul the Cripple avait raison. Ils arrivent. Par dizaines, par centaines. D'abord, je n'ai rien remarqué mais il m'a montré des remous de-ci de-là, en trépignant de joie. L'eau bouge. On dirait qu'elle va se lever. Petit à petit, je discerne ce qui grouille à nos pieds : ce sont des alligators. On voit leurs écailles fendre les flots. Il y en a tant que l'eau, par endroits, fait des bouillons. Tout se bouscule. Les animaux s'inquiètent mais il est trop tard : les reptiles sont sur eux. Le grand cerf bondit pour leur échapper mais une bête l'a saisi à la patte arrière et il retombe avec lourdeur dans les eaux sales. Plusieurs mâchoires se referment sur lui. L'eau claque et gicle. Il se bat, remue, tente de se relever mais les alligators ne lâchent pas prise. Les os se cassent. La chair se déchire. Nous entendons, de là où nous sommes, de longues plaintes sourdes. C'est la bête qui se meurt, la tête sous l'eau. Les autres reptiles s'attaquent aux flamants roses. Ceux qui ne s'envolent pas à temps, ceux qui tardent trop, sont pris dans leurs mâchoires et disloqués. Ils n'en font qu'une bouchée. Nous ne voyons plus qu'un mélange indistinct de mâchoires et de plumes. Les grands oiseaux, si élégants, sont réduits à un paquet de chair compacte qui se fait broyer. Les singes, excités par l'odeur du sang, se mettent à crier. Ils ne peuvent s'enfuir, l'eau les entoure. Les alligators montent sur les tombes. J'ai les oreilles pleines du bruit sourd des mâchoires qui se referment. J'ai peur que les bêtes, maintenant, ne viennent sur nous. Partout ce n'est que massacre carnassier. Ils broient tout. Plus rien ne subsiste du spectacle lumineux dont nous avons joui quelques instants plus tôt. Tout piaffe et caquette avec terreur. La mort est là. C'est un grand banquet de sang. Seigneur, qu'avez-Vous détruit ? La beauté du monde est souillée et les fous jubilent. Je ne sais plus ce que je vois. Le grand festin des prédateurs, le banquet sauvage du chaos, c'est Vous, n'est-ce pas, qui l'avez ordonné ? A mes côtés, Paul the Cripple rit comme un enfant. Je veux me mettre à l'abri. J'ai peur que les bêtes ne rampent jusqu'à nous et ne nous disloquent. Je recule. Je tire Paul par la manche pour qu'il fasse de même, mais il se dégage. Que veut-il ? Son visage est illuminé de bonheur. Il est heureux, oui, dans le carnage. D'un coup, sans que je puisse rien faire pour l'en empêcher, il s'élance et descend droit devant lui, dans les eaux du cimetière. Je crie. J'appelle. Il ne se retourne pas. Il est déjà au milieu des reptiles. Je peux voir l'eau bouger autour de lui avec férocité. Ça grouille. Il avance, comme s'il descendait parmi les siens. Seigneur, pourquoi tuez-Vous les désespérés ? Je le perds de vue. Il disparaît derrière une tombe. Je ne peux plus bouger. Je suis transi de terreur. J'ai échoué. Le simple, le difforme, je l'ai laissé aux bêtes sauvages et il sera massacré. Oh que le monde est laid. Vous avez tout détruit et la terre gémit. Mais, tout à coup, il réapparaît. Cent mètres plus loin, entre deux tombes, toujours debout. Comment est-ce possible ? Il n'a pas l'air blessé. Il avance toujours. Je l'appelle. "Paul !... Paul !..." Il se retourne et me regarde, souriant, comme s'il avait trouvé l'endroit du monde où il était le mieux. Puis il plonge ses mains dans les eaux et éclabousse tout autour de lui. Je le distingue mal derrière les gerbes d'eau qu'il soulève. Les remous se multiplient. Ce sont les reptiles qui s'agitent et frappent les eaux de leur queue. Il est de moins en moins visible au milieu des remous. Puis, je le perds. Il disparaît. Les eaux semblent l'avoir englouti. Les alligators doivent être en train de le démembrer. Tout est fini. Je m'apprête à quitter les lieux. Mais c'est alors que je l'entends. Paul the Cripple. Sa voix à nouveau. Comme lorsqu'il appelait dans les rues. Je ne le vois plus, je l'entends seulement. Peut-être a-t-il échappé au carnage ? Peut-être s'est-il caché derrière une tombe ? Je scrute l'horizon mais je ne vois rien. Je ne sais plus… Est-ce Vous qui appelez par sa voix ?… Je deviens fou. Les alligators l'ont dévoré et il appelle encore. Comment est-ce possible ? Je ne sais plus, Seigneur, ce que Vous voulez. Tout est sens dessus dessous et Vous riez. A travers le sacrifice du difforme, je le sais, Vous riez.

Que fait-il, lui, l'enfant ? Elle ne pense qu'à cela. Que fait-il à ce moment précis tandis qu'elle marche dans l'angoisse. Est-ce que quelqu'un lui parle ?… Est-ce que quelqu'un se soucie de savoir ce qu'un enfant de cet âge fait dans les rues tout seul ?… Est-ce qu'il approche des gens qui l'appellent ou est-ce qu'il fuit lorsqu'on essaie de le mettre à l'abri ?… Elle connaît la réponse. Il lui semble le voir, avec sa moue entêtée, regardant fixement ceux qui le hèlent, puis leur tournant le dos. Elle le voit errant d'une rue à l'autre, rebroussant chemin lorsqu'il y a trop d'eau, sautant sur le capot d'une voiture pour rire, comme si la ville entière était un vaste espace de jeu. Qu'a-t-il, son enfant à elle, pour fuir ainsi les hommes et aimer le silence d'une ville qui se noie ? Qu'a-t-elle fait naître en lui de tordu, à force de doutes et de fatigue, pour qu'il contemple le monde avec un regard si circonspect ? Elle l'imagine et elle sait qu'il est seul quelque part, qu'il marche sans peur devant l'immensité des rues renversées. Elle sait qu'il ne s'arrêtera devant aucune maison et ne demandera l'aide de personne. Elle sait qu'il sautillera aussi longtemps qu'il aura des forces en lançant des cailloux dans l'eau, elle le sait parce qu'il a en lui ce silence trop grand qui le rend étrange. Il n'est à personne. Peut-être est-ce pour cela qu'il regarde le monde comme quelque chose qui ne le concerne pas. Elle l'imagine, marchant à quelques blocs de là, sans peur, avec quiétude dans des rues vides, et elle a peur de lui, de son opacité, de la force qu'il a face au silence, elle a peur parce qu'elle sait qu'il y a quelque chose dans cette ville inondée qu'il va aimer et qui lui ressemble.

Soudain, la voix de Swinging Louis retentit : "Hé, Buckeley, regarde…" Je me retourne. Pickow s'est mis à genoux, les épaules voûtées, la tête basse, comme s'il voulait vomir et ne pouvait pas. Je m'approche, je me baisse doucement pour voir son visage et je l'appelle : "Pickow ?… Pickow, ça va ?…" Il ne répond pas. Il respire difficilement. "Pickow, tu m'entends ?…" Il a le regard vitreux et claque des dents. Boons m'interroge du regard, mais je ne sais que lui dire, je ne suis pas médecin. Est-ce qu'il a bu de l'eau de la rue ? Est-ce qu'il était malade avant ? Volmann s'écarte d'un pas et lance, à la cantonade : "C'est pas qu'il serait contagieux, quand même ?…" Personne ne relève, mais dorénavant, la pensée est dans tous les esprits. "On ne va pas pouvoir l'emmener avec nous", dit alors

Tockpick, sans que l'on sache si cela a un lien direct avec ce qu'a dit Volmann. Tockpick ne nous demande pas notre avis. Il dit ce qui sera, avec l'assurance de celui qui a l'habitude, depuis longtemps, de la peur qu'il produit chez les autres. Pickow est à bout de forces. Je sais que Tockpick a raison. Swinging Louis parle d'essayer de l'emmener à l'hôpital, de le déposer là-bas, ni vu ni connu, mais personne n'a l'air convaincu. Nous gardons le silence, tête baissée, incapables de décider du moment où il faudra partir. "On n'a qu'à l'installer là !" dit Tush en montrant l'immeuble juste en face de nous. "Où là ?" demande Lazy Marty et Tush lui répond en souriant : "N'importe où... Qu'est-ce que ça peut foutre ?..." Cette solution plaît à Tockpick. Boons et Swinging Louis soulèvent Pickow comme un blessé de guerre. Je les aide. Nous montons jusqu'au premier étage. Là, j'avise une porte au hasard, nous nous y mettons à plusieurs pour l'enfoncer à coups de pied et elle finit par céder. L'appartement est vide. Pickow gémit. Il a les lèvres bleues et les yeux qui brillent de fièvre. Boons et Swinging Louis l'installent dans un fauteuil, près de la fenêtre. "Comme ça, dit Boons à Pickow qui n'entend déjà plus rien, si tu vois passer des secours, tu n'auras qu'à appeler." Mais personne n'y croit. Pickow va rester seul, dans un appartement vide. La fièvre va le faire grelotter, puis délirer. Il va se vider sur place, la gorge sèche et personne, jamais, ne viendra le chercher où il est. Nous le laissons là parce qu'il nous embarrasse avec sa douleur. Nous ne nous encombrons pas de blessés, de malades, de boiteux. Il n'y a pas de groupe. Chacun d'entre nous sait maintenant où s'arrête notre camaraderie. Chacun voit que ceux qui fléchiront seront abandonnés et crèveront doucement sur le trottoir. Nous piétinons dans l'appartement, l'air un peu contrit, un peu gêné. Puis, Tockpick lance le mouvement et cela, au fond, nous soulage. Volmann et Avon sortent, impatients de retrouver l'air libre. Boons et Swinging Louis restent devant le fauteuil et murmurent quelques paroles. Ils disent adieu à leur ami. Ils voudraient dire pardon mais ils n'osent pas. Puis nous sortons. Dehors, Tockpick nous attend, les mains sur les hanches. Il nous regarde avec un air triomphant comme s'il voulait d'emblée nous faire comprendre qu'il faut passer à autre chose : "La ville est à nous", lâche-t-il avec une joie carnassière. Pickow est déjà loin. Volmann frappe dans ses mains. Il piaffe d'impatience. Tockpick a raison : la ville est là, à portée de main. La nourriture que nous trouverons dans les appartements, l'argent, les appartements eux-mêmes, tout est à nous. Il y a quelque chose de laid dans le sourire de Tockpick. Je me demande pourquoi je reste là. Il serait possible de nous séparer. Swinging Louis en a envie. Boons aussi. Cela se voit dans la façon dont ils se tiennent un peu à l'écart, dans la façon dont ils fusillent du regard Tockpick qui fait si peu de cas de Pickow. Cela se voit dans la façon dont Boons tape du bout du pied contre le mur. Nous voudrions partir, abandonner les autres à leurs désirs d'ogre, mais personne ne le fait. Peut-être avons-nous sous-estimé la prison ? Peut-être est-ce elle qui nous lie encore les uns aux autres, qui nous oblige à écouter Tockpick malgré le dégoût que l'on a de lui et à le suivre ?... Car nous finissons par relever la tête et effacer les expressions de dégoût sur nos visages. Les rues sont vides. Tockpick nous les offre avec un geste ample de la main comme le ferait un empereur et nous sourions. Il ne nous reste qu'à piller, rire, et roter dans le silence des rues, puisque c'est pour cela que nous sommes faits.

Elle marche et n'a plus la force d'appeler. C'est Keanu, maintenant, qui le fait à sa place. "Byron ?... Byron ?..." Elle marche, mâchoires serrées, tentant d'endiguer les questions qui montent en elle et l'assaillent, mais elle sent qu'elle ne pourra pas tenir longtemps. Il y en a trop. Elles vont la submerger. Pourquoi est-il parti ?... Quelle mère est-elle qui n'a pas su veiller sur son enfant ?... Que va-t-il se passer maintenant ?... Qui va-t-il rencontrer dans ces rues saccagées ?... Des questions auxquelles elle ne pourra pas répondre mais qui vont tourner dans sa tête et la rendre folle. Alors elle marche, elle accélère encore, comme si seule la course des corps pouvait la prémunir du tourbillon des questions. Elle ne veut pas avoir le temps de réfléchir. Et puis, d'un coup, elle s'arrête et elle crie une dernière fois "Byron !..." mais cela n'a plus rien à voir avec les cris d'avant. Elle n'appelle pas, elle hurle, le ventre plié en deux et c'est juste pour que le nom de son fils résonne autour d'elle. Elle crie pour dire qu'elle le veut, là, près d'elle, que son absence lui est insupportable, qu'elle a mal de tous ses os, elle crie "Byron !..." et c'est comme si elle suppliait les maisons, les rues et l'ouragan de le lui rendre. Keanu se retourne, revient sur ses pas et l'enlace. Il comprend qu'elle ne cherche plus, qu'elle n'en peut plus du silence de cette ville qui semble conspirer contre elle en lui cachant son enfant. Alors il la prend dans ses bras et lui murmure avec une sorte de rage combative "Il n'est pas mort" et il la serre tellement fort qu'il lui fait mal, mais il continue pour qu'elle l'écoute et se calme, "Il n'est pas mort", sa voix est violente comme une gifle, elle redresse la tête et regarde ses lèvres avec étonnement comme si elle essayait de lire dessus et il continue pour que le silence de la ville ne les reprenne pas tout de suite "Nous allons le trouver".

Elle fait oui de la tête, comme une petite fille obéissante même si elle ne comprend pas d'où il peut tirer une telle certitude et il ajoute encore cette phrase qui lui griffe le visage et l'oblige à se redresser d'un coup, prête à marcher à nouveau, honteuse presque d'avoir vacillé, "Nous allons le trouver avant elle". Un instant, elle est sur le point de demander "Qui ?" mais elle ne le fait pas. Elle comprend qu'il parle de la mort, de la menace, de tout ce qui peut vouloir fondre sur un enfant perdu dans une ville immense, la faim, le danger, le malheur, alors elle se redresse et serre les poings.

Moi, Josephine Linc. Steelson, j'ai reconnu cette odeur tout de suite, et pourtant, je ne l'avais pas sentie depuis longtemps. Ce sont peut-être les alligators qui l'ont apportée avec eux ou les déluges d'eau. Elle me prend au nez et m'arrête. Je suffoque. Je pense à Marley, le seul homme de ma vie, vieille négresse que je suis. Marley, père de mes deux enfants morts auxquels je n'aurais pas dû survivre. Marley qu'on n'a jamais retrouvé parce que ces salopards ont noyé son corps, et c'est pour cela qu'ils me regardaient en souriant, lorsque je venais les trouver là où ils étaient, le coiffeur dans sa boutique, le garagiste aussi, et que je les pointais du doigt en disant "O toi Mike Sureton", ou "O toi Jimmy Cravey", et je n'ajoutais rien car il n'était nul besoin d'ajouter quoi que ce soit, et eux en réponse, bien qu'ils m'aient comprise, ils ne faisaient que sourire en disant à la cantonade que j'étais une vieille folle qui ne se remettait pas de ce que son mari ait foutu le camp. Je sais qu'ils l'ont abattu comme un chien, qu'ils ont pissé sur son corps pour bien montrer que ce n'était même pas un meurtre, juste un jeu, je sais que Marley est mort avec du sang dans la bouche, terrifié comme un enfant, je sais qu'ils l'ont donné aux bayous. Je n'ai pas cessé de le dire. A eux d'abord, pour qu'ils sachent que je connaissais leur âme, puis, lorsqu'ils sont morts quarante ans plus tard, d'un mauvais cancer ou d'une cirrhose, à leurs enfants pour que, eux aussi, à leur tour, sachent qu'ils étaient engeance de tueur et qu'ils piétinent la tombe de leur père plutôt que de l'honorer, mais ils le savaient déjà, je l'ai vu dans leur regard, ils le savaient et ils m'ont chassée avec les mêmes gestes irrités qu'avait eus leur père. Je respire mal. Cette odeur-là, partout dans les rues, c'est comme si Marley était avec moi, à nouveau. Malgré les soixante-dix ans qui nous séparent, malgré ma vie de solitude, Marley m'entoure. Alors, je marche et je ne pense plus au petit négrillon. Je le laisse aux alligators ou à l'eau des rues. Je veux juste marcher pour rester dehors le plus longtemps possible, dehors avec, tout autour de moi, mon homme assassiné.

Paul the Cripple a laissé derrière lui son hachoir. Il est là, à mes pieds. Je le ramasse. Je regarde encore longtemps dans la direction où il a disparu, mais je suis bien incapable de dire si les alligators l'ont déchiré ou s'il s'est évanoui. Le hachoir, dans ma main, est froid et ce contact, étrangement, me rassure. Je contemple sa lame, solide. Que voulez-Vous, Seigneur ? J'ai peur de comprendre. Je me mets à genoux. J'hésite mais je sais. Comme il est difficile de s'y résoudre. J'ai cru que Vous vouliez que je mette à l'abri les hommes, que c'est ce qu'il allait m'être donné de faire, mais je me suis trompé. Qui suis-je pour les protéger de Votre colère ? Le ciel craque et c'est Vous qui parlez. Les enfants pleurent et c'est Vous qui les terrifiez. La ville s'écroule par Votre volonté. Vous arrachez les arbres

et les réverbères parce que les arbres, les réverbères, les voitures et nos pauvres maisons Vous sont
odieux. Je suis Votre serviteur, Seigneur, et je Vous
seconderai. Toute chose doit mourir. Les alligators
sont Votre armée, je le comprends. C'est Vous qui
les avez lancés sur la ville. Il ne doit plus rien rester qu'eux, je le sais. Je tiens le hachoir de Paul the
Cripple dans la main et c'est bien. J'essaierai, Seigneur. Je me relève et quitte le cimetière, redescen-
dant vers le centre-ville où sont les hommes. Que
le monde souffre s'il ne Vous plaît pas. Vous avez
mis cette arme dans ma main, ce sera une épreuve
pour moi mais je comprends : Votre colère n'est
pas encore épuisée et les hommes Vous sont in-
supportables. Leurs fautes ne peuvent être lavées
en une seule nuit. Il faut plus. Le monde d'hier doit
finir de mourir. Vous savez que ce ne sera pas facile pour moi, Vous savez que je tremble, que j'hésite, mais j'irai jusqu'au bout. Je croyais le monde
dévasté, mais Vous me murmurez à l'oreille que ce
n'est pas fini et que les hommes n'ont pas encore
payé. Qu'ils périssent, Seigneur, s'ils Vous ont offensé.
Je crache sur le monde et je n'ai plus de frères.

Je me trompe, vieille négresse que je suis. Je pensais sentir la présence de Marley, je pensais qu'il
était ému de voir arriver sa vieille femme, heureux
de sa fidélité de folle, mais l'odeur qui flotte là,
dans les rues, je la reconnais, ce n'est pas celle de
la joie, c'est celle du dégoût. Il m'en veut. Il me
regarde par en bas, l'œil noir. J'entends presque
sa voix, restée jeune depuis tout ce temps, me disant que je n'ai rien compris. La mort dans les
bayous, c'est ce qu'ils voulaient, eux, les culs blancs.
La souillure et la boue. Nos yeux ouverts dans la
vase et le cri étouffé par les eaux, c'est ce qu'ils

voulaient, eux. L'âge m'a rendue faible et je ne sais plus ce que je fais. Marley crache par terre et me siffle aux oreilles que je me suis trompée. Je le sens partout autour de moi. Les arbres se penchent pour me le dire. Ce n'est pas ça, vieille négresse. Ce n'est pas ça. Les bayous ne veulent pas de toi.

Volmann et Swinging Louis s'arc-boutent contre la porte et elle finit par céder. Nous autres, nous faisons le guet mais c'est comme un vieux réflexe inutile. Qui viendrait par ici ? Nous marchons depuis une heure et n'avons croisé personne. Le rire de Tockpick a retenti. J'entre. Il avait raison. C'est bien encore une armurerie et le propriétaire a décampé en pensant que fermer à double tour suffirait. Volmann piaffe comme un enfant. Avon Long Legs répète à qui veut l'entendre : "Jusqu'aux dents, nom de Dieu, armez-vous jusqu'aux dents !…" A l'intérieur, tout est intact. Des armoires entières avec des armes sous clef. Il n'y a qu'à choisir. Nous cassons les vitrines, renversons les tiroirs, enfonçons dans nos poches des poignées de cartouches. Tockpick jubile. Il avait dit : "D'abord l'armurerie, ensuite, nous serons les rois… On pourra même aller jusqu'à Angola !" Cette idée lui plaît. Le policier voulait nous amener au pénitencier, Tockpick est prêt à y aller de son propre chef mais ce sera armé comme un dément et pour libérer ceux qui y sont encore. Cela l'excite. Nous savons qu'il n'ira pas, c'est bien trop loin, mais cela lui donne le sentiment qu'il est le maître de la ville et peut choisir de frapper où il veut. Il va régner sur le chaos et cette perspective l'enchante. De toute sa vie, il n'a jamais eu rêve plus grisant. Je ne sais pas ce que nous sommes en train de faire. Je prends une arme moi aussi. Un fusil à pompe et une arme de poing. Avon Long Legs me tape sur l'épaule. Frères de démence. Nous nous mettons en mouvement. Je ferme la marche. On dirait la procession des zoulous les jours de jazz-band. Tockpick est notre *grand marshal* qui ouvre la voie. Nous avançons et tout tremble à notre approche. Avon Long Legs tire en l'air, parfois, pour s'amuser, pour éprouver le plaisir de pouvoir le faire, de ne pas avoir à se cacher. Il tire et rien ne se passe. La ville est là, inerte et vide et nous la prenons.

Ils m'ont attrapée. Moi, Josephine, vieille roublarde increvable, je me suis laissé attraper comme une gamine. Je n'ai pas fait attention. Au coin de la rue, la voiture a freiné. Ils ont jailli de leur énorme quatre-quatre aux vitres teintées et me sont tombés dessus. Lorsque je me suis retournée, il était déjà trop tard, ils étaient sur moi. Deux gros Blancs. Un obèse et l'autre avec des tatouages sur le bras, qui n'arrêtaient pas de parler. Ils disaient que ça allait aller, que je n'avais plus de souci à me faire. Ils m'appelaient *grandma* et ne me laissaient jamais répondre. Ils étaient tout près de moi, l'un d'eux a même essayé de me prendre par le bras, je me suis écartée et je leur ai dit que moi, Josephine Linc. Steelson, je n'avais pas besoin d'eux, mais ils n'ont pas semblé entendre, le gros a parlé d'état de choc, ou de panique, il a fait un signe de connivence à son ami et ils m'ont agrippée. Je me suis débattue tant que j'ai pu parce que je n'aime pas quand des Blancs agrippent des Noirs, quelles que soient leurs intentions, j'ai trop vu cela, dans les rues, l'impunité du maître qui saisit l'esclave par le bras pour lui dire d'aller traîner ailleurs. Je me suis débattue mais mon vieux corps de négresse ne sert plus à rien. Ils m'ont soulevée comme un fétu de paille et m'ont posée à l'arrière du quatre-quatre en répétant que ça allait aller. Je leur ai dit que je cherchais un gamin, un petit négrillon et que je devais y retourner, mais ils ont démarré, fiers d'eux, avec le regard satisfait de celui qui soulève le monde et le repose, intact, comme un vase de Chine sur une commode en acajou. La voiture est haute et puissante. Nous fendons les flots. Je vois défiler la ville. Ce n'est que misère. On dirait une vieille dame saccagée par le vent, l'œil hagard, les montures de lunettes abîmées, la mise en plis de travers, une vieille dame qui vacille et boite sur un talon cassé. Les deux hommes ne répondent pas à mes questions. Ils parlent de moi à la troisième personne, comme si je n'étais pas là. "La *grandma* a l'air d'aller… sûrement déshydratée… ils vont s'en occuper…" Je me demande bien où est-ce qu'ils ont l'intention de m'emmener, mais je n'ai pas peur. Je continue à scruter les rues pour voir si j'aperçois le petit négrillon car je suis têtue et je ne lâche pas.

Je cherche les hommes pour les châtier. La main serrée sur le hachoir, je vais par les rues. La tête me tourne parfois. Je grelotte. Je dois être pris par la fièvre, à moins que ce ne soit l'approche du sang. Je vais tuer. Je vais détruire et mettre à bas puisque c'est ce que Vous voulez. Tout maintenant me semble petit et dérisoire. Comme cela a dû être facile pour Vous de noyer cette ville sous la pluie, de la gifler par les vents. Comme cela a dû être facile et plaisant. Nous serons bientôt unis par une même jubilation. Je ne Vous décevrai pas, Seigneur. Eprouvez-moi. Je descends les rues, droit vers le Mississippi. Je sais que les gens sont là-bas. Ils se réfugient sur les terres sèches, espérant encore échapper à Votre courroux. Mais c'est vain. Car je sais où ils se cachent et je vais droit sur eux.

Nous marchons avec férocité, Avon Long Legs en tête. Nous sommes les maîtres de la ville. Nous faisons du bruit sans plus rien craindre. Si une voiture de police déboulait à nouveau, nous la criblerions de balles. La ville est à nous. Sur Iberville Street, Avon Long Legs casse la vitrine d'une bijouterie. Il prend des colliers à la pelle et les passe à son cou. Il les arbore fièrement, maintenant. Quatre ou cinq colliers de diamants et de pierres précieuses, pêle-mêle. Cela lui donne un air de princesse haïtienne. Nous sommes fous et nous arpentons notre royaume en claquant des dents avec délectation.

VII

LA FOULE DES VAINCUS

Lorsqu'ils arrivent aux abords du stade, ils découvrent une foule immense. Il y a des hommes et des femmes partout, épuisés, en haillons, le linge encore mouillé sur les épaules. Des vieillards perdus, le regard vide, des femmes donnant la tétée à des nourrissons. C'est une humanité à ciel ouvert, pauvre, peureuse, affamée. Il y a des serviettes étendues à même le sol, des draps pour tenter de faire des lits. Certains, à bout de forces, se sont allongés, d'autres gémissent tant ils ont faim. Ils se fraient un passage et pénètrent dans le Superdome. Une fois à l'intérieur, ils embrassent du regard le stade immense et ce n'est que là qu'ils ont le sentiment d'être à la fin des mondes. "Crois-tu qu'il soit là ?" demanda-t-elle et il ne peut rien répondre. Il y a tant d'hommes et de femmes… Elle comprend et se serre contre lui. S'il lui avait dit, à cet instant, que son fils était mort et qu'il ne servait à rien de continuer à chercher, elle aurait accepté. Elle a tellement de désœuvrement devant elle, que cela lui aurait semblé n'être qu'une infime parcelle de malheur en plus. Elle aurait accepté, oui, et se serait assise pour ne plus bouger et gémir à son tour. Mais ce n'est pas ce qu'il dit. Il regarde la foule et, les dents serrées, lui dit : "Je vais le retrouver", puis il lui explique qu'il va revenir, qu'il faut, en attendant, qu'elle cherche ici. Elle accepte comme elle accepterait tout parce qu'elle sent qu'elle doit l'écouter, qu'il a une force qu'elle n'a pas et que ce qu'il dit, d'une façon ou d'une autre, adviendra.

O misère du monde qui tolère cela. Spectacle de la laideur des hommes. Moi, Josephine Linc. Steelson, je vois ce que vous ne voyez pas. Ils m'ont déposée devant le stade, heureux de m'avoir sauvée des flots, puis ils sont repartis dans leur quatre-quatre rutilant. J'ai regardé autour de moi et j'ai vu les hommes abandonnés, ceux qui ne comptent plus, ceux que l'on a oubliés derrière soi et qui traînent des pieds. Je les ai vus. Ils s'épuisent et se lamentent. Ils sont des milliers à se serrer les uns contre les autres pour ne pas pleurer. Et ils sont tous noirs. Cela personne ne semble le voir. Tous noirs, dans la crasse d'habits souillés par le déluge. Une foule immense, déféquant et pissant de peur, une foule qui ne compte pour rien car nous n'avons jamais compté. Comme la mort de Marley n'a compté pour rien dans la vie de la petite ville de Thibodaux. Tout a continué. Il ne manquait qu'à moi. C'est pareil aujourd'hui. Je suis parmi les rats qui se meurent et ne manqueront à personne. Ils nous viendront en aide, bien sûr, mais bien plus tard. Ils enverront des hélicoptères et des bidons d'eau, mais rien n'effacera le fait qu'au moment de courir ils ne se sont pas retournés, qu'ils ont même oublié qu'ils laissaient derrière eux les nègres de toujours.

Elle va d'un point à un autre du stade, de groupe en groupe. Dès qu'elle aperçoit des enfants, elle s'approche, et regarde avidement. Elle lève parfois des couvertures sur les corps endormis pour en

avoir le cœur net. "Byron ?… Byron ?…" Elle appelle.
Les enfants, parfois, tournent la tête mais ce n'est
pas lui. Les hommes parfois indiquent une silhouette de gamin, mais ce n'est pas lui. Le stade
est immense. Elle avance patiemment. "Byron ?…
Byron ?…"

   Moi, Josephine Linc. Steelson, je peux encore changer de nom. Je me souviens du jour où j'ai choisi
le mien. Mon père voulait m'appeler Fidelity. Il était
fier d'avoir eu cette idée et il en souriait souvent
lorsqu'il y pensait, comme un bon coup qu'il allait
faire au monde entier. Fidelity, parce qu'il voulait être fidèle à ceux qui s'étaient battus pour nous,
les Grant, les Hooker, tous les Yankees qui avaient
fait couler leur sang dans nos champs pour que
nous soyons libres. Mon père est parti, vaillant,
déclarer mon nom à la mairie mais ils lui ont ri au
nez. "Fidelity, ce n'est pas un nom." Il a insisté.
Rien n'y fit. "Même un nègre ne peut pas s'appeler comme ça", ont-ils dit. Mon père a baissé les
yeux et enterré ses rêves d'hommage. Mais moi,
Josephine Linc. Steelson, je suis née avec la respi-
ration qui gratte, comme disait ma mère, et à quinze
ans, lorsqu'on m'a raconté cette histoire, j'ai trouvé
ça bête. Fidelity. Il ne faut pas le dire, il faut le
faire. Fidelity, comme ça, c'est une promesse de
rien pour se faire sourire soi-même et c'est tout.
Alors, j'ai décidé qu'on m'appellerait Lincoln. Josephine Lincoln Steelson. Depuis des années, c'est
ainsi que je m'appelle. Et aujourd'hui, je me demande si je ne dois pas changer encore. Rempla-
cer Josephine par Honte. Honte Linc. Steelson. Il
n'y a que la couleur dans ce pays. Le sexe et l'âge
ne comptent pas. Quand les Blancs me voient dans
la rue, ils ne voient pas une vieille dame, ils voient

d'abord un corps noir, un visage noir, des mains noires, puis ils cherchent les traces d'un âge, ou d'un sexe pour identifier l'être qu'ils croisent. Je suis noire d'abord. Honte Steelson, oui, parce que ceux que je vois ici sont noirs et pauvres. Les nègres s'entassent les uns sur les autres, comme toujours. Je vois le capharnaüm du monde, la bouche sale de la pauvreté et je reconnais tout cela, nom de Dieu, parce que je le connais par cœur. Rien n'a changé. Des nègres sans rien, qui lèvent les yeux au ciel pour implorer la pitié, c'est toujours ainsi que souffre le monde.

Il marche vite, pour s'éloigner le plus possible de la foule. Il n'a aucune idée de la méthode à employer pour retrouver l'enfant dans la ville, mais il y croit. Il sent qu'il n'a jamais été aussi fort qu'à cet instant. Il est plein de son souvenir à elle, de son corps à elle. Il est plein d'une certitude qui lui donne envie d'arpenter la ville mètre par mètre. Il se souvient de la pute de Houston, du visage écarlate de cette petite femme trop maigre à la bouche voluptueuse et aux fesses un peu basses, qui agitait les bras devant le gros Jimmy, en string, avec ses bottes de cow-boy, le visage tendu de colère. Il se souvient de sa voix stridente qui les prenait à partie, tous, lui, Jimmy, les autres hommes qui étaient là, tous, en répétant "Je sais à quoi je suis fidèle, moi…", il se souvient de l'émotion qui était montée en lui parce qu'à cet instant c'était comme si elle l'avait mis à terre et aujourd'hui, enfin, il se sent calme. Il sait pourquoi il marche, c'est pour Rose. Il est plein de cette force et il peut répondre à la pute mexicaine maintenant. Il l'entend, dans son bordel du Texas, reposer inlassablement sa question nasillarde, "Et toi, à quoi tu es fidèle ?" et il répond là, en marchant, il répond à chaque pas, à chaque rue, à Rose, il est fidèle à Rose retrouvée. Cela éloigne de lui la fatigue et les souvenirs de la plate-forme. Cela éloigne de lui la voix nasillarde de la pute. A Rose, pour son fils et son corps, pour son odeur et pour que le monde soit plein.

Il fait chaud et elle s'épuise. Elle va d'un groupe à l'autre – toujours, avec la même question sur le bout des lèvres. "Byron ?... Byron ?..." Elle a de plus en plus soif, comme si cette question à qui personne n'avait de réponse, cette question entêtante et inutile l'asséchait. Ce qu'elle voit, partout, l'effraie. Les gens s'usent et se lamentent. Il en vient toujours plus. Une odeur lourde et écœurante monte des bâtiments sud. "C'est la merde", lui a glissé un vieil homme qui voyait qu'elle cherchait à mettre un nom sur cette odeur. Les toilettes sont bouchées. Tout reflue. Des centaines, des milliers de gens ne savent plus où aller pour uriner, pour déféquer, alors ils le font là où ils sont. Ils le font, le regard baissé, honteux d'être si vite ravalés à leur pauvre animalité mais ils le font car il faut bien que le ventre se vide et l'odeur monte de partout, une odeur boueuse d'excrément. Au fond, se dit-elle, cette odeur tout autour d'elle, c'est celle de sa peur, la plus parfaite odeur du désespoir.

C'est là que je l'ai vu, là, Seigneur, au coin de Tulane Avenue et Saint Broad Street. Le premier que vous m'envoyez est un enfant. Il était accroupi au bord de la route, essayant de boire le fond d'une bouteille cassée. J'ai frémi. Je me suis approché et il a levé la tête. Un enfant. J'ai montré mon habit d'église pour qu'il n'ait pas peur. J'ai essayé de cacher mon hachoir dans mon dos mais peut-être l'avait-il déjà vu. J'ai même essayé de sourire. Quelle épreuve, Seigneur. Un enfant. Vous êtes dur. Un enfant qui ne dit mot, petit nègre aux grands yeux étonnés. Je l'ai vu. Je l'ai pris avec moi. Je n'ai pas encore la force de faire ce que Vous me demandez. Plus tard… Laissez-moi un peu de temps… Plus tard… Vous ne pouvez me forcer au-delà de moi-même. Je lui ai tendu la main et il l'a prise, le petit nègre. De l'autre main, je serre le hachoir avec rage. Nous allons ensemble, dans les rues du chaos. Il me faudra de la force pour le tuer, mais soyez patient, je le ferai. Je Vous aime tant que je le ferai.

Je sais qu'il faut que je le fasse. J'ai trop tardé déjà. Alors, sans rien dire à personne, sans même faire un signe de connivence à Boons qui est à mes côtés, j'arme mon fusil à pompe. Le bruit fait se retourner tout le monde. "Qu'est-ce que tu fous, Buckeley ?" Je mets en joue Tockpick. Ils se sont tous arrêtés de marcher. Tockpick ne se démonte pas : il me demande ce que je veux mais je ne réponds pas. Il n'y a pas d'autre moyen, je le sais. Si j'avais juste tourné les talons, ils m'auraient roué de coups et abattu. Même si j'avais demandé en lui expliquant de façon conciliante que je voulais continuer seul, même comme ça, il aurait lâché Avon ou Volmann sur moi. On ne quitte pas le groupe. On ne quitte pas le couloir de Parish Prison. Tockpick me regarde avec un air de défi, pour me montrer qu'il n'aime pas être à ma merci. "Qu'est-ce que tu veux, Buckeley ?" Je ne réponds pas. Je tiens Tockpick en joue. Il n'y a que cela à faire, je le sais. Je surveille Avon et Volmann du coin de l'œil et je fais un pas en arrière, puis un autre, je m'éloigne sans jamais leur tourner le dos pour ne pas finir comme le policier. Je m'éloigne. J'aurais dû le faire dès que nous sommes sortis de la prison. Je suis prêt à tirer. Je demande à Boons s'il veut venir avec moi et il dit oui. Swinging Louis aussi. Nous sommes trois à reculer maintenant, en gardant bien les yeux rivés sur ceux qui nous font face et ces instants sont longs. Ils s'écoulent avec lenteur et menace. Avon Long Legs nous dévisage avec haine. Il aboie. Il le fait comme un chien en montrant ses dents. Il aboie pour dire que, s'il pouvait, il nous déchiquetterait, et je sais alors que j'ai raison de tenir mon fusil, peut-être même devrais-je tirer, en abattre un, n'importe lequel, ou tous même, mais je ne peux pas, je recule avec Boons et Swinging Louis, je dis : "Bonne chance Tockpick" pour qu'il entende que je ne veux rien d'autre que suivre mon chemin et le laisser au sien, mais il ne répond pas, il me laisse reculer et crache par terre.

Moi, Josephine Linc. Steelson, je comprends que je ne sortirai pas d'ici et cela me fait enrager. Maudite bécasse de négresse que je suis de m'être fait prendre ainsi. Maudits culs blancs qui m'ont volé ma liberté. La foule est toujours plus dense autour de moi. Il ne cesse d'arriver des hommes et des femmes. Le stade se remplit. Je suis fatiguée. Maudite faiblesse de vieille bonne femme qui ne tient plus sur ses jambes. Je sais que je ne devrais pas mais je m'assois. Je trouve une place sur les marches du stade, là, au hasard, et je m'assois. Je sais que, à cet instant, je deviens une pauvre petite vieille qui fait pitié, un sac d'os fatigué. C'est ainsi qu'ils me considèrent, tous, alentour. Je le vois. Ceux qui me regardent du coin de l'œil le font avec une tristesse désolée. Ils doivent se dire que c'est moche d'être une vieille négresse seule qui ne tient plus sur ses jambes en pareille occasion. Je repense aux bayous, à Marley. Si tout s'effondre, ma maison, ma ville, à quoi puis-je me tenir qui ne croulera pas ? A quoi, que la tempête ne puisse atteindre – et qui fera de ma vie, malgré le trop d'années qu'elle a duré, un pari tenu ? Je vois les hommes passer et ce n'est que désarroi. Ceux qui sont là n'ont rien, ont tout perdu, errent comme des damnés. Je vois leurs regards désolés et je ne peux m'empêcher de penser que j'ai la chance que ma vie soit derrière moi.

Elle a trouvé de l'eau, près de l'entrée du stade. Une équipe de secours est là. Ils viennent d'arriver par hélicoptère, avec une palette entière de bouteilles d'eau. Ils ont des brassards de la Croix-Rouge. Un des hommes – un jeune garçon au regard doux – lui a tendu une bouteille en plastique. Elle l'a remercié. Elle a pris la bouteille et, instinctivement, elle l'a serrée contre elle. Si elle avait pu la cacher sous ses vêtements, elle l'aurait fait. Elle reste un temps, près d'eux, juste pour les écouter parler. Les gens les pressent de questions et ils donnent des nouvelles du monde. C'est la première fois, depuis le début de l'ouragan, qu'ils entendent parler de ce qu'ils ont vécu, qu'on leur explique ce qui s'est passé à grande échelle. Les deux hommes de la Croix-Rouge disent que c'est une catastrophe sans précédent, que la Louisiane entière est sous les flots, que plusieurs plates-formes pétrolières ont rompu leurs amarres et endommagé des ponts, que les digues, maintenant, menacent de céder. Et puis, comme s'ils en avaient trop dit, ils essaient ensuite d'être rassurants. Un d'eux sourit en disant qu'il ne faut pas paniquer, que l'important, c'est d'avoir réussi à atteindre le stade. Alors, elle ose, elle prend la parole et lui demande s'il a vu un jeune garçon de six ans, tout seul. Il la regarde avec un air désolé, fait non de la tête et montre le stade tout autour en levant les épaules avec un geste d'impuissance, comme s'il voulait lui dire qu'il y avait trop de monde ici, beaucoup trop et qu'il ne pouvait pas se souvenir de tous les visages. Elle ne dit rien. Elle baisse les yeux. Elle se met à trembler pour son enfant qui n'est pas là. "Tous ceux qui sont ici seront évacués", a-t-il dit, et elle voudrait crier pour son enfant qui ne le sera pas. Alors elle s'éloigne. Elle veut être seule. Elle cherche un endroit pour s'asseoir, finit par trouver un siège près d'une vieille dame au regard noir. Elle lui propose un peu de sa bouteille et la vieille lui dit : "Merci ma fille" et boit goulûment.

"Merci, ma fille", j'ai dit de ma voix de négresse et la jeune femme a sursauté parce que l'intonation avec laquelle je l'ai dit contrastait avec la faiblesse de mon vieux corps. Elle m'a regardée, elle a souri. Je l'avais vue marcher comme une ombre et je savais qu'elle cherchait quelque chose, qu'elle était épuisée de chercher sans trouver, comme tous les autres. Je l'ai remerciée pour l'eau qu'elle m'a tendue car j'avais oublié qu'il était si doux de boire et cela m'a fait du bien. Maintenant, nous sommes côte à côte, en silence. Je regarde les hommes passer et c'est moi, Josephine Linc. Steelson, qui les contemple avec désolation. La femme à mes côtés serre sa bouteille, le regard vide. Je pense au petit négrillon que je n'ai pas réussi à attraper, à toutes ces mères inquiètes, tous ces êtres transis de peur qui se demandent quand est-ce qu'ils mangeront et où est-ce qu'ils dormiront. Je n'ai pas peur, moi Josephine Linc. Steelson, il n'y a plus rien à détruire en moi que ma volonté et cela personne ne l'entamera, car je suis faite de cela et de rien d'autre, un bloc noir de volonté qui ne fait que durcir avec le temps.

VIII

LES DIGUES CÈDENT

"A feu et à sang", j'ai dit. Avon a compris. Dès que nous avons été en vue du casino, il a chargé son fusil. A feu et à sang. Il y avait deux hommes à l'entrée, un vieillard et un autre torse nu. Deux crevards. Il a fait feu. Comme des lapins. J'ai tiré moi aussi. Il faut que ça brûle. Tout. Et le plaisir monte. Nous ouvrons la porte à double battant, l'air sent encore la poudre. Le grand escalier nous fait face, avec son tapis en velours rouge. Ça y est, c'est à nous. Je prends tout. Le casino et le reste. Je suis le roi de la ville et le saccage va commencer. Nous montons quatre à quatre l'escalier. Une fois en haut, dans la grande salle, Avon tire sur le lustre pour le plaisir, pour marquer notre présence et que les tapis de jeu eux-mêmes se mettent à trembler. Ça sent le fric et c'est pour ça que nous sommes là. Une fois dans ma vie, je veux ça. Volmann, Tush et Lazy Marty font les fous et renversent les tables. Je cherche les caisses. Du fric. C'est mon tour maintenant. J'en veux plein les poches. J'en veux au fond des mains. Mais il n'y a rien, nom de Dieu, rien nulle part. A croire qu'ils ont tout vidé. Les croupiers n'oublient rien et c'est la banque qui gagne toujours. Je cherche à nouveau. La colère monte. Je finis par trouver un placard que je force. Des boîtes et des boîtes de jetons. Avon s'approche et me demande : "C'est quoi ça ?" J'en renverse une.

Des centaines de petits jetons roulent par terre, bleus, rouges, jaunes… Avon rit. "Un paquet de fric", dit-il, et il en prend plein les mains, un paquet de fric comme si c'étaient des pièces d'or. Il s'en met dans les poches, dans la chemise. Il en jette en l'air et Tush fait comme lui. Des centaines de jetons et pas un billet. Même là, il ne me sera pas donné de tenir dans ma main une liasse d'argent avec l'odeur sèche du papier. Non, même là. Alors je le dis et le répète : "A feu et à sang." Je danse avec eux, je renverse les tables, je bouffe des jetons de toutes les couleurs. A feu et à sang, je casserai le monde, je le jure.

"Où on va, Buckeley ?" Il faut mettre le plus de distance entre Tockpick et nous. J'ai dit à Boons qu'on allait plein nord en direction du lac Pont-chartrain. Il a fait une grimace parce que ce sont les quartiers les plus inondés. Je sais. Mais c'est là que je vais. Je veux m'enfoncer dans l'inondation et que plus personne ne puisse m'atteindre. Je veux laisser derrière moi Tockpick et la prison. Boons finit par acquiescer et Swinging Louis aussi. Sur les quais, nous ouvrons un à un tous les hangars pour trouver une barque, quelque chose qui flotte. Nous ne sommes pas les seuls. C'est la foire d'empoigne. D'autres sont là qui s'agglutinent. Chacun veut sa place pour être sûr d'être à l'abri au cas où les eaux continueraient à monter indéfiniment. Swinging Louis, avec toute la masse de son corps, se fraie un passage dans le groupe qui est devant nous. Il bouscule ostensiblement les uns et les autres pour montrer qu'il ne faut pas l'empêcher de faire ce qu'il va faire. Puis, lorsqu'il atteint la barque, il avise les deux types qui sont déjà dedans et leur ordonne de descendre. Ils ne veulent

130

pas. Alors nous le rejoignons, nous frayant à notre tour un passage dans la foule et nous montrons nos armes, nous les brandissons même, pour que tous ceux qui sont là reculent. Je ne partage pas. Je veux sortir d'ici avec la barque et c'est tout. Les deux types descendent lorsqu'ils voient nos fusils. Swinging Louis tire la barque pour l'extraire du hangar, comme un bœuf tire une charrue. On nous laisse passer avec crainte et c'est bien. Pendant une heure nous la tirons sur Saint Diamond Street, droit vers le nord, cherchant ce que tout le monde fuit : l'eau. Puis, lorsque les rues commencent à être immergées, Boons monte. Louis et moi continuons à la tirer. J'ai de l'eau jusqu'à la taille mais je souris. Je quitte les hommes. Je les laisse dans mon dos. Le monde va nous oublier. Nous montons sur notre barque, avec l'impression, pour la première fois, de nous enfuir vraiment, sans rire ni course, dans le silence des maisons éventrées.

Il marche d'un pas pressé. Il sait que cela est absurde mais il ne peut pas s'en empêcher. Il pourrait tout aussi bien tomber sur l'enfant s'il ne bougeait pas, s'il s'asseyait sur le trottoir et attendait. Il y aurait exactement autant de probabilité qu'il finisse par le retrouver, mais il ne peut s'empêcher de courir. Il veut être dans cette nervosité-là. Il regarde à gauche, à droite. Il appelle parfois. Il marche. Cinquante mètres plus loin, soudain, il se fige, comme tétanisé. Une explosion vient de retentir. Quelque chose s'écroule. Un bruit de gravats emplit le ciel. C'est un immense immeuble, à trois blocs de là, qui s'effondre comme un château de sable dans la vase. Il entend ce bruit et, en une seconde, il est à nouveau sur sa plate-forme. C'est le même bruit de craquement, la même fumée qui monte.

Il se met à trembler. Il lui faut de la force pour se contenir. Il a du mal à respirer. Il est sur le point de crier à nouveau, comme cette autre fois sur la plate-forme, "Lâchez-moi ! Lâchez-moi !" alors que personne ne le tenait mais il pense à l'enfant, l'enfant perdu qui n'est pas de lui, l'enfant bâtard, il pense à lui et reprend sa marche. A cet instant, un homme arrive sur lui, en robe de chambre avec des tongs aux pieds. On dirait qu'il vient de se réveiller. Il court dans sa direction, agitant les bras comme un épouvantail. Il croit d'abord qu'il va s'arrêter, lui dire quelque chose, mais ça n'est pas ce qu'il fait. Il poursuit sa course. A tous ceux qu'il croise, l'homme dit la même chose, sans s'arrêter, que les digues ont lâché, sur le lac Pontchartrain, les digues ont lâché, l'eau arrive et il continue à avancer en agitant les bras. Il répète toujours les mêmes phrases, que les quartiers nord sont déjà sous deux bons mètres d'eau. "C'est le pire qui vient, dit-il, le pire", et il passe sans s'arrêter. En voyant l'homme en robe de chambre, il ne pense pas à ce qui va se passer, il ne pense pas à la ville engloutie, il se dit simplement que l'enfant ne va pas pouvoir aller vers le nord et que l'eau, peut-être, va le lui ramener.

Je suis dans Jackson Avenue. Avec l'enfant. J'entends une voix qui retentit plus loin, après le carrefour. Un homme là-bas ne cesse de crier : "L'eau monte !... L'eau monte !..." On dirait un messager qui vient annoncer la peste, de rue en rue. "L'eau monte !... Les digues ont lâché..." Je regarde autour de moi, je ne vois personne. Sa voix se fait plus lointaine. "L'eau monte..." L'enfant ne bouge pas. De quoi peut-il avoir peur ? Il est impassible tandis que je frémis, moi. A nos pieds, l'eau bouge.

C'est un courant ténu qui nous glisse entre les jambes. Elle court. Elle ira partout. La ville va se remplir comme une baignoire. Les quartiers nord d'abord, puis tout le reste. J'entends encore au lointain l'homme qui s'époumone. "L'eau monte !..." Oh oui, je le vois maintenant, Vous n'en avez pas fini avec nous. La tempête n'était rien, les barrages vont voler en éclats. Les ponts crouleront. L'eau pénétrera partout et les immeubles eux-mêmes finiront par s'effondrer. Vous avez mis l'enfant sur ma route et je comprends que je dois œuvrer, moi aussi, pour aggraver le malheur.

Je les entends qui se lèvent, qui s'agitent, qui paniquent. Je ne bouge pas, moi, Josephine Linc. Steelson, négresse immobile dans un monde en bascule. Une rumeur tourne dans le stade et prend de l'ampleur. Ils ont peur, partout. Je peux le sentir. Certains se lèvent, d'autres tremblent. La rumeur me parvient, relayée par toutes ces bouches, la rumeur qui transforme les visages en les tordant d'angoisse. "Il y a de l'eau dans les vestiaires... des fissures... ça craque de partout..." L'eau suinte des murs. Elle nous poursuit jusqu'ici. Elle a déjà empli certaines pièces des sous-sols. Elle ne nous laissera pas en paix. Je l'ai dit dès que je l'ai senti, c'est une vicieuse qui nous est tombée dessus et elle nous harcèlera comme une teigne.

D'un coup, les mères se lèvent, avec leurs nourrissons encore attachés au sein. Les vieillards se lèvent malgré les couvertures qu'on leur a posées sur les genoux et cet endroit où ils s'étaient sentis en sécurité auparavant, malgré les odeurs de défécation et le nombre croissant d'hommes et de femmes qui venaient s'y entasser, cet endroit qu'ils bénissaient parce qu'ils savaient que c'était par cette fenêtre que le monde les regardait et qu'ici, au moins, on ne pouvait pas les oublier, cet endroit leur devient insupportable. Ils se lèvent tous, d'un seul grand mouvement, et ils se mettent à tourner, comme s'ils avaient tous des fourmis dans les jambes, comme s'ils avaient tous le besoin urgent de marcher. Le grand corps de ces vingt mille personnes se met à tourner. Elle le voit. Elle sent, elle aussi, la peur qui monte. Elle sent que son fils n'est pas là, son fils perdu qui ne veut personne et ne parle à personne, son fils qui s'éloigne d'elle et des hommes, ne peut pas être là. C'est une évidence. Alors, elle se fraie un passage au travers de la foule et part, laissant derrière elle ces milliers d'hommes et de femmes qui se sont levés et dansent ensemble d'une danse fatiguée et hésitante.

"Eh, Tockpick, viens voir ça !…" C'est Tush qui m'appelle. Il est sorti sur le palier, devant la porte principale. Je le rejoins. Nous dominons la rue d'un bon mètre. J'ai l'impression d'être un tribun qui s'adresse à la foule et cela me fait sourire, sauf qu'il n'y a personne. La rue est quasiment sèche. Un ou deux centimètres d'eau, à peine, et pourtant, personne. A croire que notre présence a fait fuir tout le monde. Tush me montre du doigt l'extrémité sud de la rue. Je tourne la tête et j'ouvre la bouche. Des alligators arrivent. Ils sont une dizaine et rampent en plein milieu de l'avenue, dans un bruit visqueux de ventres et d'écailles. Ils se frottent contre l'asphalte, de tout leur poids, avec leurs pattes courtes qui peinent à s'accrocher, ondulant comme des serpents sous nos yeux. Des dizaines d'alligators, sortis des eaux. Comment est-ce possible ? La ville

134

est inondée mais cela ne leur suffit plus. Ils veulent tout. Ils s'emparent des rues sèches maintenant, ils sont partout chez eux. Cela les oblige à ramper avec maladresse mais ils le font, c'est leur règne qui vient. J'ai peur. Je me tais. Je serre les poings. Je prie pour que personne ne s'aperçoive de ma pâleur. A cet instant, je voudrais fuir ou me mettre à genoux et pleurer. Je suis paralysé. Je serre les mâchoires pour que les autres ne voient rien mais les alligators continuent d'avancer et je ne sais pas si je vais pouvoir me contenir. Le bruit visqueux de leurs ventres me terrifie. J'ai peur comme si j'étais nu sous le regard de mon père.

IX

LAISSEZ PASSER LA LOUISIANE

Ça y est. Les premiers cars arrivent. Ils sont devant les portes du stade. En une fraction de seconde, la foule se précipite sur eux. Les conducteurs et les responsables de l'évacuation ne cessent de répéter qu'il ne sert à rien de se presser contre les portes, que tout le monde sera évacué, mais les gens ne les croient pas, ou plutôt ils ne peuvent voir autre chose que ces huit cars dans lesquels doivent rentrer vingt mille personnes, ces huit pauvres cars pris d'assaut qui sont déjà pleins et qui n'arrivent pas à démarrer tant il y a de monde autour. Les gens ne les croient pas parce qu'ils ont tous au fond du ventre la sensation tenace que, s'ils ne font pas partie de ce voyage, ils seront oubliés, alors, à défaut de pouvoir monter dedans, ils empêchent les cars d'avancer. Les conducteurs ont fermé les portes. Ils klaxonnent, s'énervent, puis, lassés, essaient d'avancer centimètre par centimètre. Les responsables tentent de leur ouvrir le passage en criant, mais rien n'y fait. La foule est compacte et sourde. Cela dure une heure. Puis deux. C'est alors qu'arrivent les militaires, dans des véhicules légers, casqués, armes automatiques au poing. Un d'entre eux tire en l'air pour que les gens s'écartent. Une rafale, comme on le fait pour affoler des pigeons. Lorsqu'elle entend les tirs, elle est déjà sortie du stade. Elle part, seule. Elle est fatiguée de ces lamentations, de cette attente, fatiguée de toute cette peur inutile, elle veut juste son fils. Que les hommes tirent sur la foule ou la fassent tenir tout entière dans huit cars, cela ne l'intéresse plus.

Ils se sont souvenus de nous. Comme ils finissent toujours par le faire : trop tard, lorsque nous sommes sales et épuisés. Lorsque nous sommes en colère d'avoir été oubliés. Alors ils sont venus comme ils viennent toujours dans ces cas-là, la main tendue d'un côté et les doigts pour se boucher le nez de l'autre. Les cars arrivent au goutte à goutte. Huit d'abord. Puis six. Puis huit à nouveau. Cela prendra des jours. Ils ont tiré en l'air pour effrayer le nègre. Depuis toujours, ils aiment ça. Je ne monterai pas. Je suis Josephine Linc. Steelson, je prends le bus tous les matins pour que les vieux Blancs baissent les yeux devant ma liberté. Je ne veux pas monter comme ça, comme une bête apeurée que l'on sauve par charité. Alors je reste assise. Ils se pressent tous là-bas. Je sais qu'ils viendront me chercher et que je ne pourrai pas faire autrement que de les suivre, mais je veux le faire à ma manière. Je n'ai pas encore trouvé. En attendant, je les écoute tirer en l'air pour que nous soyons dociles et obéissants et je ne bouge pas.

Les gens ne veulent plus quitter l'entrée du stade. Ils continuent à se serrer devant les portes. Une foule inquiète scrute l'arrivée des prochains cars. Elle s'est éloignée discrètement, pour que personne ne la hèle et ne lui demande de revenir, elle s'est éloignée et elle se trouve face à une succession infinie de grandes rues désertes.

Nous marchons côte à côte, l'enfant et moi. Je le tiens par la main. Il n'a pas dit un mot. Je lui ai demandé deux fois comment il s'appelait mais il n'a pas répondu. C'est peut-être mieux ainsi. Je ne lui demanderai plus. Je préfère ne pas savoir, il sera plus facile de le tuer. Il a mis sa main dans la mienne. J'ai sursauté au contact de sa peau mais je l'ai laissé faire. Je ne sais plus. Je ne sais plus ce que Vous voulez de moi et ce que j'aurai la force de faire ou pas. Je suis avec l'enfant et il me semble petit à petit que c'est moi qui l'accompagne et lui qui veille sur moi. Il me semble qu'il sait que je vais le tuer et qu'il me laisse simplement le temps de rassembler mes forces pour le faire. C'est pour cela qu'il ne dit rien, pour me laisser tranquille jusqu'à ce que je sois prêt. Je ne sais pas où nous allons. Les rues sont vides. C'est lui qui décide, ou Vous, je ne sais pas… Sur notre gauche, entre deux voitures, un alligator avance sur le goudron. Je re-pense à Paul the Cripple et à sa voix aiguë qui ré-sonnait dans le déluge. Nous abandonnerons tout aux alligators, je sais. Les bêtes prennent possession de nos rues et les cadavres flottent dans les bayous. Tout est à l'envers. Le petit n'a pas tressailli à la vue de la bête, et moi, si. Je ne sais pas de quoi il pour-rait avoir peur. Il a l'air si calme, si confiant dans sa mort que plus rien ne l'effraie et il me tient la main, toujours, avec sérénité.

Il marche dans les zones sèches de la ville, vers le nord, à la rencontre de l'eau. De grosses colon-nes de fumée noire montent du centre-ville. Les habitants qui sont là, sur le trottoir, parlent d'une usine de traitement de déchets qui s'est effondrée et de plusieurs stations-service en flammes. Com-ment savoir ce qui est vrai et ce qui est faux ? La rumeur se répand comme l'eau sale, d'un point à un autre de la ville et la vérité n'existe plus. On dit que l'air est toxique, qu'il ne faut pas être en contact avec l'eau, qu'il ne faut surtout pas la boire parce qu'elle est pleine de produits chimiques. On dit que même les alligators meurent par dizaines et qu'il est, au nord, une avenue dans laquelle il y en a tant, renversés sur le dos, le ventre gonflé, qu'on dirait une forêt de troncs d'arbres jetée à l'eau. Mais on dit aussi que ce sont les seuls à ne pas souffrir de cette pollution et qu'ils vont pulluler comme des larves au printemps. Comment savoir ce qui est vrai et ce qui ne l'est pas ?…

Je le tiens par la main. Il saute pour éviter les planches de bois, les poubelles, les objets renversés à terre par le vent. Il le fait avec légèreté. Il ne se plaint pas, ne parle pas. S'il l'avait fait, je crois que je l'aurais déjà tué, par lassitude. Mais il est là, à mes côtés, vif et infatigable. Le monde s'est écroulé et cela ne semble pas l'effrayer. Je ne pourrai pas, Seigneur. Je sens maintenant que je ne pourrai pas. Vous m'en demandez trop. Je Vous le laisse. Tuez-le Vous-même si Vous pouvez.

C'est là, au coin des rues Jackson et Willow qu'il le voit. Il se fige. Il plisse les yeux pour être sûr qu'il ne se trompe pas. Mais c'est lui. C'est bien lui. Alors il crie, immobile d'abord puis en courant de toutes ses forces dans sa direction. Il crie. "Byron !…" Et le petit tourne la tête.

"Byron !… Byron !…" J'ai entendu les cris. Le petit a tourné la tête. Je me suis tourné à mon tour. J'ai

respiré avec soulagement et, instinctivement, j'ai lâché la main de l'enfant. Le garçon n'a pas couru
vers son père. Il est resté là où il était, immobile,
jusqu'à ce que l'homme le prenne dans ses bras,
et le serre fort. Il l'appelait "fils" et lui disait qu'ils
allaient rentrer à la maison et qu'il pourrait retrouver sa maman. Je suis parti avant qu'il ne se soit
relevé. J'en ai profité pour disparaître. Je ne veux
pas qu'il me remercie. Je ne veux pas qu'il me
serre la main. J'allais tuer l'enfant. Si je ne l'ai pas
fait, c'est seulement que je n'ai pas été assez fort,
c'est tout. Je disparais. Lorsque je m'éloigne, j'entends encore la voix du père dans mon dos qui
dit "fils"... qui dit "rentrer à la maison"..., mais ce
n'est pas cela que j'écoute. J'écoute son silence à
lui, l'enfant, qui ne dit rien. Le monde entier tient
dans son silence obstiné.

Elle est la dernière dans une ville vide, la dernière.
Tout est à l'abandon, ouvert, éventré. Elle marche.
Instinctivement, elle a pris la direction de la maison mais, au bout d'un temps, elle doit s'arrêter.
Il y a de l'eau partout, devant elle, de l'eau à perte
de vue. Les cris, c'est là qu'elle les entend. Elle tourne
la tête. Ils sont trois sur une barque de fortune et
ils s'approchent d'elle.

Je l'ai vue de loin. J'ai d'abord voulu faire demi-
tour, mais c'était retourner vers le centre et je ne
voulais pas. Swinging Louis a souri. Boons aussi.
Avec appétit. Nous nous sommes rapprochés d'elle.
Louis avait le visage mauvais. Je me suis demandé
ce que j'allais faire s'ils décidaient de se jeter sur elle.

La barque s'est approchée. Un des hommes qui était à son bord la fixait avec des yeux de cheval mort. Un autre laissait filer sa main dans l'eau. Celui qui l'a hélée l'a appelée "mademoiselle", et maintenant il lui dit qu'elle a l'air bien perdue au milieu de toute cette eau. Il rit et ses dents sont noircies de mauvais tabac. Il ajoute qu'ils peuvent l'emmener quelque part si elle veut. Elle doit avoir l'air réticente parce qu'il ajoute qu'il ne faut pas se fier aux apparences, qu'ils ont des sales gueules, lui et ses copains, mais qu'ils savent se comporter en gentlemen. Un d'eux rit à cette phrase, comme un porc, en faisant du bruit avec son nez. Elle les regarde. Elle prend tout son temps. Elle voit ce qu'ils sont : trois hommes au regard vitreux et aux mains violentes, trois hommes affamés, qui se promènent au milieu du chaos avec joie, alors elle leur dit : "Je veux bien, merci" et elle monte.

Elle nous a regardés longuement, prenant tout son temps pour nous jauger, puis elle est montée, sans trembler. Cela a forcé notre respect car nous sommes laids, nous le savons, et nous puons la violence à plein nez. Mais elle est montée. Nous lui avons fait une place et le parfum d'une femme nous a enveloppés. Nous le sentons, tout autour de nous. Il se dégage de sa peau une odeur singulière que nous n'avons pas sentie depuis des années, sa sueur à elle, plus légère que la nôtre, nous rappelle, à chacun, des lits, des draps, des bouches entrouvertes et des ventres qui glissent sous la main. Son odeur à elle qui monte à bord nous fait taire. Chacun est plongé dans ses souvenirs et c'est comme si elle venait de prendre possession de la barque, imposant son silence à tout le monde.

Je l'ai vu. Là. En haut des gradins. J'ai compris tout de suite que j'avais trouvé ce que je cherchais et j'ai souri en mon esprit. Le combat. C'est à cela que je peux m'accrocher. Le combat, comme je l'ai toujours fait. Et Marley sourira. Il sera fier de moi. La vieille Josephine Linc. Steelson n'a pas fini d'étonner le monde. Je suis faite comme ça. Ils sont en train d'achever l'évacuation. Plus personne ne gêne les bus, maintenant. Les gens ont compris. Cela va plus vite. Il arrive des hélicoptères, régulièrement, qui se posent devant le stade en faisant voler les vieilles couvertures et les bouteilles en plastique vides. Ils travaillent à plein régime pour pouvoir dire qu'ils font le maximum. L'évacuation générale de ces négrillons qui ont tant de mal à écouter les consignes, de ces négrillons qui ont couvert le stade de merde et de souillure, de ces négrillons qui sont tellement indisciplinés qu'ils ont rendu leur propre évacuation presque impossible, l'évacuation bienveillante des nègres bouseux vers Houston bat son plein. Les caméras de télévision sont là. Le stade se vide de réfugiés et continue à se remplir d'eau. Et je monte moi, jusqu'aux derniers gradins. Là, je prends le drapeau qui est tombé au sol. J'ai trouvé. Josephine Linc. Steelson, négresse jusqu'à sa mort, va gifler le monde. Je vais monter dans le bus, mais je le ferai libre, comme toujours.

Ils avancent lentement. Il a mis l'enfant sur ses épaules. Il a de l'eau jusqu'aux genoux, une eau trouble et épaisse. A chaque pas qu'il fait, il sent la résistance passive des flots contre laquelle il doit se battre. Il avance et l'enfant ne bouge pas. Parfois, il lui parle. Il dit : "Courage, fils." Il dit : "Allez, je te ramène à la maison." Il dit : "Ta mère t'attend", et il sent que l'enfant l'écoute. Il en est certain. Il y a dans l'immobilité de l'enfant quelque chose d'attentif. Plus il avance et plus l'eau monte. En arrivant dans le Lower Ninth, il en a jusqu'à la taille, mais il continue. Il ne croise plus personne. Le quartier semble totalement abandonné. Ils sont seuls dans ce monde englouti. "J'ai soif." Il s'arrête. L'enfant a parlé. C'est la première fois qu'il s'adresse à lui. Alors il sourit. L'enfant ne le voit pas mais, en reprenant sa marche, il sourit et lui dit que, bientôt, ils vont boire tous les deux, qu'il faut être patient, encore un tout petit peu patient, qu'ils seront bientôt à la maison et que tout va aller bien. Il poursuit sa route, les épaules écrasées par un poids qu'il aime de plus en plus.

Pour l'heure, elle regarde l'eau qui file, sans que rien ne l'inquiète. Elle se repose. Les hommes lui ont fait de la place dans la barque. Pour l'heure, elle est apaisée. Plus tard, elle repensera à ces hommes, à leurs visages cassés, à leurs bouches mauvaises, plus tard, elle reverra la façon qu'ils avaient de se pousser du coude en lui jetant des regards en coin, plus tard, elle pensera à tout ce qu'ils auraient pu faire, aux insultes dont ils auraient pu la couvrir, aux coups qu'ils auraient pu lui donner. Plus tard, elle réalisera qu'elle était à eux, seule et démunie, qu'elle ne pouvait rien, ni crier ni courir. Plus tard, elle pensera à tout ce qui aurait pu se passer si un seul de ces hommes était venu sur elle avec l'envie de la serrer, de la mordre, de la salir. Il y aurait eu bagarre pour l'avoir peut-être, il y aurait eu leurs crachats, leur jouissance, il y aurait eu la douleur. Plus tard, elle pensera à tout cela et elle aura peur, mais pour l'heure, il ne se passe rien. Les hommes la regardent. Il ne se passe rien et l'eau file à ses côtés.

Ils finissent par atteindre la maison. Il porte encore l'enfant sur ses épaules. Le rez-de-chaussée est inondé. La porte est difficile à ouvrir à cause de l'eau qui pèse de tout son poids. Ce n'est qu'une fois dans le couloir qu'il le pose sur les marches de l'escalier. Puis il va dans la cuisine. Ils n'ont pas pensé à mettre à l'abri les denrées. Tout flotte dans un chaos sale. Il cherche un peu mais ne trouve que des boîtes de conserve et des bouteilles de soda. Le reste est trempé. Il revient vers l'enfant qui est monté dans sa chambre et s'est assis dans un coin, genoux repliés sur le ventre. Il lui tend une bouteille, puis, sans dire un mot, il s'assoit à ses côtés.

J'ai repensé au vieux Phil qui habite sur Chartres Street, près de Jackson Square. Je suis allé droit chez lui. J'étais sûr qu'il serait parti. Il a dû être un des premiers à plier bagage. Le vieux Phil, avec ses quatre-vingts ans, ses chemises en lin et son chapeau blanc qui buvait son whisky sur son balcon en regardant avec mélancolie les embouteillages à ses pieds, l'esprit plein du bruit des chevaux d'antan et de la moiteur des plantations. Je force la porte. Rien ne bouge dans l'appartement de Chartres Street. Tout est si immobile dans le vestibule que j'ai l'impression que la voix du vieux Phil va retentir, demandant à son domestique qui vient d'entrer. Je tends l'oreille, attendant de voir si son vieux pas traînant glisse sur le parquet mais rien. Il ne reste dans cette ville que le souvenir des gens. La salle de réception me semble bien grande tout à coup et je la traverse avec timidité. Dans son bureau, je sens encore une légère odeur d'alcool. C'est ici que le vieux Phil recevait. Les fusils sont là, accrochés au mur comme des trophées. Il me les a montrés si souvent. J'en

prends un. Les cartouches sont dans la boîte derrière la vitre de la bibliothèque. Cela aussi, il aimait
le montrer. J'entends encore sa voix : "… Ce ne sont
pas des joujoux, révérend… Un de ceux-là servira
peut-être encore à faire sauter le crâne d'un crasseux
de nègre…" Je prends la carabine dans ma main.
Elle est lourde et douce. Le vieux Phil est à mes
côtés. Je l'entends presque tousser. J'ouvre la fenêtre
pour contempler la vue du balcon. Il n'y a plus de
voitures dehors. Un silence étrange m'entoure, avec
ce bruit, simplement, de l'eau qui continue à monter, l'eau qui ne se lasse pas de tout saccager et veut
avaler les hommes.

Le soir tombe et la lumière est belle. Si la ville
n'était pas engloutie par les flots, on pourrait dire
que c'est une belle soirée. Elle pense que par ce
genre de temps, avant l'ouragan, elle traînait sur
le perron avec le petit entre les genoux. Par ce genre
de temps, elle laissait défiler les gens du quartier
sous ses yeux, la robe retroussée au-dessus des
genoux et les cheveux remontés sur la nuque pour
que la brise la caresse. Mais il n'y a plus rien. Il
semble même que le monde ne renaîtra pas. Elle
voit sa maison au loin, et tout à coup, cette image
la rappelle à elle avec violence. Elle se rend compte
alors à quel point elle s'était mise en sommeil, ab-
sente à tout, comme si elle avait douté qu'ils tiennent parole et l'emmènent jusqu'ici, comme si elle
pensait qu'elle partait pour bien plus loin. Elle est
surprise de revoir sa maison. Elle s'imaginait que
la barque glisserait sur les eaux pendant des jours
et des nuits, jusqu'à ce qu'ils la violent ou l'oublient,
jusqu'à ce qu'ils meurent tous de faim peut-être.
Mais la maison est là. Elle sort d'un coup de sa
douce léthargie et la peur la saisit. La peur d'être

dans la barque, d'avoir osé monter, la peur de ces hommes qui l'entourent. Elle fixe la maison avec impatience et chaque mètre qu'il reste est dur à parcourir. Elle se demande s'ils vont vraiment la laisser descendre ou s'ils attendent quelque chose qu'elle ne pourra pas donner.

Les bruits de voix l'ont fait sursauter. Il fait signe à l'enfant de rester où il est et il se lève. Il regarde par la fenêtre. Il voit une barque emplie d'hommes qui stationne devant la maison. Il a peur tout d'abord, mais soudain, les hommes s'écartent et c'est là qu'il la voit. Elle saute et la barque s'éloigne presque immédiatement. Il ouvre la fenêtre. Elle ne l'a pas encore vu. Elle est occupée à remercier les hommes d'un geste de la main. Il la voit se tourner doucement jusqu'à ce que ses yeux s'arrêtent sur lui et que sa bouche s'entrouvre. Elle est belle, dans cette ville détruite. Pendant quelques secondes, il ne se passe rien. Plus tard, viendront les cris de joie et les embrassades, plus tard, les récits mille fois répétés et les larmes de bonheur, mais pour l'heure, il ne se rassasie pas de contempler son visage surpris et sa bouche entrouverte de stupeur.

Elle est descendue, emportant avec elle son parfum de femme et l'immobilité de l'air. Elle est descendue et, paradoxalement, la barque est devenue plus lourde. Il m'aura été donné de revoir une femme, une dernière fois. C'est bien. Là où je vais, je serai seul avec les souches d'arbres et les grenouilles. Je la regarde de dos. Elle est belle. Cela aussi, je le quitte. Swinging Louis et Boons ne disent rien mais ils ont le visage sombre. Nous nous éloignons à regret. Elle nous plaisait, cette femme. Pas comme une que nous aurions aimé saouler, gifler, maltraiter et jeter. Pas comme une sur laquelle nous aurions aimé nous coucher. Elle nous plaisait par son immobilisme et le regard vague avec lequel elle n'a cessé de regarder la ville défiler, sans se soucier de nous. Maintenant qu'elle est descendue, nous restons seuls avec nous-mêmes. Nous retrouvons nos visages laids, nos bouches tordues faites pour l'injure et nos mains noueuses qui aiment la bagarre. Swinging Louis ne tient plus en place. Il gesticule en tous sens, changeant de position tout le temps, croisant et décroisant les jambes. La barque devient petite. Elle est insupportable comme l'étaient les couloirs de Parish Prison. Je me demande ce qui m'a poussé à y monter, me condamnant à nouveau à l'exiguïté alors je regarde Boons et je dis : "Au jardin, je descends."

Ils sont là, tous les deux, sains et saufs. Elle ne peut plus parler ni bouger. Elle sent que quelque chose est complet à cet instant et cela fait tellement longtemps qu'elle se sentait amputée et boiteuse qu'elle ne sait pas nommer ce bonheur. Son fils raté et son homme perdu, ils sont là, tous les deux, face à elle. Le ciel ne contient pas assez d'air pour qu'elle respire à sa mesure.

C'est mon tour maintenant. Deux blancs-becs s'approchent de moi et répètent plusieurs fois les mêmes phrases, comme s'ils avaient peur que je ne comprenne pas. Ils disent qu'il faut y aller, que j'aurais dû me présenter avant, eu égard à mon âge, que j'aurais même dû être une des premières à partir. Alors je leur fais signe de me laisser quelques secondes, et ils le font, avec étonnement mais ils le font car la vieille Josephine Linc. Steelson a de l'autorité dans les gestes. Je déplie le drapeau et je le mets sur mes épaules, comme un châle. Puis, seulement, je les suis. Je veux qu'ils me voient tous. Je suis la dernière à partir. Je le fais de force. C'est ma terre ici, que je n'ai jamais quittée. La terre de mes ancêtres qui s'y sont fait humilier. La terre où ils ont massacré mon amour, mon seul amour d'homme qu'ils ont défiguré à coups de crosse puis noyé dans les bayous, la terre à laquelle je reste fidèle. C'est chez moi ici. Les grenouilles me comprennent. Les lucioles m'entourent. Je parle aux jacinthes flottantes. Honte à ce pays que je porte sur les épaules et qui nous a oubliés. Honte à ce pays en lambeaux qui continue à cracher sur ses nègres. Je suis là, Josephine Linc. Steelson, et ce soir, c'est moi l'Amérique. Je monte dans le bus comme j'y montais à sept heures du matin, avec fierté et aplomb. C'est la première fois de ma vie que je vais quitter la Louisiane et cela ne me plaît pas. Mais ceux qui me regardent avec apitoiement, ceux qui voient en moi une vieille déracinée qui va finir ses jours dans un centre d'accueil provisoire, ne comprennent rien. Je suis Josephine Linc. Steelson. Je monte dans le bus avec l'Amérique tout autour de moi, sur mes épaules, dans mes cheveux et j'ai le regard dur. Personne n'a osé m'aider à monter parce que je suis altière. Une princesse nègre aux cheveux blancs qui quitte son pays sans trembler parce qu'elle sait qu'elle l'emporte avec elle. Et la Louisiane monte avec moi, les bayous, les jacinthes et leur odeur écœurante, le corps jamais retrouvé de Marley, les regards d'insulte dans le bus, l'ivresse de la victoire après des années de lutte et même le vent, tout monte, je ne laisse rien derrière moi. Je suis la Louisiane, les flots et l'ouragan, les hommes me laissent passer, bouche bée.

X

Ô LE LONG BAISER, ET LA MORT

Ils sont installés au premier étage de la maison. Keanu a été chercher tout ce qu'il trouvait dans la cuisine. Quelques boîtes de maïs et trois bouteilles d'eau qu'il faudra économiser. Il a vu tout de suite que cela ne leur permettrait pas de tenir longtemps, qu'il faudrait qu'il sorte pour trouver de quoi se nourrir, mais pour l'heure, il veut se reposer. Ils sont dans la chambre. Elle le regarde enlever ses habits trempés. Le petit lui a dit : "Nous avons beaucoup marché", juste cela, mais elle a failli pleurer de l'entendre. Elle ne se souvient pas quand elle l'a entendu parler devant une autre personne qu'elle. Il a dit cela avec un grand sourire, comme s'il racontait à sa mère une aventure extraordinaire. Puis il s'est endormi, éreinté de fatigue. Elle ne pense pas aux jours qui viennent. Elle ne se demande pas s'ils vont devoir partir à nouveau pour rejoindre le stade avant qu'il n'y ait plus personne là-bas, avant que le dernier car ne soit parti, ou plutôt si, elle pense à tout cela, mais comme à des idées lointaines. Il est là, revenu de son passé, revenu de l'autre bout de la ville, le corps fatigué, torse nu, il est là, l'homme qui lui manquait. Elle le sent maintenant : elle est bancale depuis six ans. Elle a vu la vie qu'elle mènerait sans lui et c'est un puits sec sans joie. Alors elle lui demande, parce qu'elle doit savoir, elle lui demande avec une sorte d'inquiétude

et d'impatience ce qu'elle n'avait pas demandé lorsqu'il s'était présenté à sa porte sous la tempête,
mais ce qu'il devient urgent qu'elle sache : "Pourquoi es-tu revenu ?" Il la regarde. Le calme est
presque parfait dans la chambre. Il sait qu'il faut
qu'il réponde et qu'il doit le faire totalement. Alors,
il baisse les yeux et commence à parler. Pourquoi
est-il revenu ? Il ne répond pas d'un mot, ni d'une
phrase. Il répond en parlant longuement, pour
qu'elle sache qu'il dit tout et que, ce qu'il offre, c'est
sa vie à nu. Il ne lui parle pas de la fille du bordel de Houston, parce qu'il n'ose pas le faire, il lui
parle de Pete, du jour de l'accident, il lui raconte
tout, sans s'épargner la douleur de voir revenir les
images. Il lui parle du bruit de la machine, sourd
et imbécile, du cri de Pete qui lui fit comprendre
immédiatement que quelque chose de grave avait
eu lieu, il parle de la sirène de l'incendie qui se déclenche et couvre les voix, si bien qu'il ne sait pas
si Pete crie toujours, il raconte comment il a fermé
les portes, par réflexe, sans y penser, et comment
cela l'a sauvé, car l'explosion est venue tout de
suite après, et si la porte n'avait pas été fermée, le
feu l'aurait déchiré lui et Pete en une seconde, il
parle de la chaleur d'un coup, et du feu qui fait
trembler le sol, il parle de l'odeur de brûlé, il ne
dit rien du visage mutin de la fille de Houston, et
pourtant c'est la même chose – c'est peut-être pour
cela qu'il n'en parle pas sans avoir l'impression de
mentir car ce sont deux façons identiques de répondre à la question qu'elle a posée, il ne lui dé-
crit pas la beauté de ses seins, lourds sur son corps
maigre, ce contraste qui plaît tant aux hommes,
une petite taille gracile et des seins lourds de
femme, il se souvient pourtant de cette soirée, de
l'alcool qu'ils avaient bu comme chaque fois, plus
que chaque fois, justement, parce que c'était après

l'accident, il a du mal à se souvenir de tous ceux qui étaient là, il ne distingue plus que Sean et Jimmy mais ils étaient plus, cinq ou six car ils allaient toujours à plusieurs au bordel, le gros Jimmy qui claque sur les fesses de la fille et lui lance pour rire "Toi, au moins, ma belle, tu t'ennuies pas avec la fidélité !", le même gros Jimmy qui fut le premier à arriver dans la pièce et qui a hurlé pour couvrir le bruit de la sirène "Où sont les autres ?" et il a dû montrer la pièce où le feu avait tout déchiré en une seconde, il raconte les heures passées à déblayer la pièce plus tard, la précaution avec laquelle ils ont désincrusté les trois corps, il la voit qui pleure doucement mais il poursuit son récit, il sait qu'elle comprend qu'il est en train de répondre à sa question, d'y répondre comme il ne l'a jamais fait et c'est peut-être aussi pour cela qu'elle pleure, de la violence des images qu'il évoque mais aussi de la beauté du cadeau qu'il lui fait, il sent qu'elle est avec lui, dans ce récit, et que même s'il n'en parle pas, elle comprend aussi la fille de Houston, elle entend aussi la claque sur les fesses, car tout est lié, et la fille se retourne, en colère, ce qui est étrange car il n'est pas rare qu'on lui claque les fesses, on la paie pour cela, et d'ordinaire cela déclenche plutôt un petit rire nerveux, tandis que là, elle se retourne avec un air mauvais et plonge ses yeux dans ceux de Jimmy, mais il est à côté lui, vautré sur le même canapé et c'est comme si elle lui parlait à lui, elle le regarde et lui dit "Je suis fidèle à une chose que je garde là, moi, tu comprends ?", elle parle avec haine comme si Jimmy l'avait salie plus qu'aucun homme auparavant et il sent qu'elle va continuer à parler parce que quelque chose s'est cassé, il sent qu'elle ne veut plus être la fille aux seins lourds qui excitent les hommes au milieu du whisky et elle parle effectivement, avec toujours plus de véhémence, et Jimmy se tait, sidéré par ce qu'il a provoqué, "quelque chose que tu ne peux même pas imaginer, et ça me rend forte et belle, parce que tu ne pourras jamais l'atteindre", elle continue à parler et c'est comme une révélation pour lui, il est stupéfait et boit ses paroles, "tu comprends, une chose à laquelle je suis fidèle, et ça t'efface, ça efface chacun d'entre vous, et le whisky et les clopes aussi, parce que c'est en moi et je le tiens là", et elle tape sur son cœur, et Jimmy se met à rire, parce qu'il ne peut faire que ça, rire avec grossièreté pour se protéger du flot de paroles, mais lui, il pourrait pleurer, c'est comme si elle venait de le gifler et ces mots tournent en lui, il sait qu'il ne pourra pas s'en débarrasser, il sait qu'elle l'a mis à terre, parce qu'il n'a rien, lui, rien à quoi rester fidèle, rien qui lui donne cette force silencieuse, rien que le whisky et le canapé et cela le rend laid, il pourrait pleurer, comme il l'a fait le soir de l'accident sur sa couchette, et cela, il le lui raconte, car c'est la même chose, les mêmes pleurs, il dit qu'il n'a plus jamais pu dormir sur la plateforme, plus jamais parce qu'un doute était né en lui, il lui dit cela qu'il n'a jamais dit à personne, ni à Jimmy ni au patron, ni à l'expert qui est venu en hélicoptère après l'accident, il lui dit qu'il ne sait pas s'il avait bien verrouillé le conduit d'arrivée de gaz qui a sauté, c'était à lui de le faire et c'est lui qui l'a fait mais il se demande si l'accident ne vient pas de là, d'une négligence de sa part, et il ne saura jamais parce que le conduit a littéralement fondu sous la chaleur, cette idée le hante, le tue, cette idée et les trois corps noirs qu'il a fallu décrocher du sol, et c'est à cette idée qu'il criait "Lâchez-moi" sur la plate-forme, c'est à ces doutes-là, parce qu'il voulait dormir mais n'y parvenait pas, il lui raconte tout et c'est comme s'il avait parlé de la fille de

Houston aussi, la fille qui l'a giflé avec violence, car c'est le même incendie qui le brûle, le même incendie qui l'a poussé jusqu'à elle, il n'y a que là, que dans ses bras à elle que les voix se taisent, et les flammes s'éteignent. Il n'y a que là et, en le lui disant, c'est comme s'il déposait sa vie à ses pieds. Elle le sait, elle le sent, elle lui prend le visage dans les mains et l'embrasse. O le long baiser qui dure et soulève les vies, balaie la poussière de nos errances. Il ne bouge pas. Il sent ses lèvres qui effacent sa vieillesse. Ses lèvres qui effacent les peurs inutiles et la fatigue de vivre. Il la serre dans ses bras. Par ses simples lèvres, elle balaie les nuits pesantes toujours renouvelées. Son parfum l'entoure et l'odeur du pétrole glisse, loin de lui. O le long baiser qui ne s'arrête que pour recommencer et qui cloue la nuit au silence.

Je respire calmement. Ils sont là, à une centaine de mètres de moi, en contrebas, dans la rue. Personne ne me voit. Ils s'approchent. Je surplombe la scène, caché derrière les colonnes en bois du balcon. Ils sont à ma merci, ignorants de la mort qui les contemple. Je sais maintenant ce que Vous avez dû ressentir lorsque Vous avez contemplé la ville avant de lancer sur elle l'ouragan. Ils ne me voient pas, ni ne me sentent. Je les ai reconnus, ce sont les nègres de Parish Prison. Le vieux Phil serait heureux de savoir qu'une de ses carabines va servir à nouveau. Je leur laisse encore quelques secondes. C'est moi qui décide de l'instant de la mort. Ceux-là sont sales, je le sais. Vous me les tendez avec dégoût. Je sais que leur vue Vous révulse. Je suis Votre homme, Seigneur. Il est l'heure, enfin, de Vous le prouver. J'attends encore un peu. Ils rient et parlent fort en contrebas. Les impudents. Je respire une dernière fois, puis je serre la crosse de la carabine et tire.

Je n'ai pas entendu le coup de feu. J'ai juste senti mes jambes se dérober sous le poids de mon corps. Je me suis effondré par terre sans ressentir véritablement de douleur. Puis, plus tard, étrangement tard, le coup de feu ou un autre, je ne sais pas, et les cris d'Avon et de Volmann. Je suis en train de mourir mais je ne sais pas de quelle blessure. Je sens mon ventre et mes jambes trempés mais peut-être est-ce parce que je suis de tout mon long allongé dans la rue... A moins que ce ne soit la plaie. Mon corps peut-il contenir tout ce sang ? Cela mouille mes vêtements, glisse le long du caniveau, enfle comme un torrent et recouvre toute la ville. C'est maintenant que la douleur monte. Je suis en train de mourir et je me tords comme une anguille tant j'ai mal. J'ai mal de mille brûlures qui me lancent et m'assaillent. Quelque part en moi quelque chose a pénétré mes chairs et perforé mes organes. La balle vrille peut-être encore dans mon ventre. J'ai mal. J'essaie de me recroqueviller comme un enfant mais mon corps ne répond plus et je vois mes jambes se secouer comme des articulations mécaniques. Je n'aurais jamais pensé avoir peur comme ça. Je suis Tockpick : je devais mourir comme un homme mais voilà que je tremble. C'est à cause des alligators. Je sais qu'ils vont venir. L'odeur du sang va les attirer. Je sais qu'ils vont me marcher dessus et me déchiqueter. Je pense à la lente avancée des alligators dans la rue et cela me terrifie. Je perds mon sang. Cela les attire. Ils seront bientôt sur moi. Faites que je meure, je vous en prie. Faites que je meure avant. Je ne veux pas les sentir me déchirer...

Celui que j'ai visé s'est effondré comme un sac mort. Les autres ont rentré la tête dans les épaules, les tympans bourdonnant du bruit de la détonation. J'ai tiré à nouveau mais trop vite et j'ai raté ma cible. Ils ont repris leurs esprits et se ruent sur moi, maintenant, cherchant l'entrée du bâtiment pour me déloger. Les chiens sauvages courent vite. Il ne faut pas tarder. Je me relève. Je rentre dans le salon puis je descends à toute vitesse par l'escalier de derrière et je file. Ils me cherchent. Je les entends qui éructent et tapent contre les portes. Je recharge mon fusil. Je m'arrête un instant, pour souffler. Je suis derrière le bâtiment, dans une petite ruelle. S'ils viennent par ici, ils me trouveront, c'est certain, mais je ne bouge pas. Je veux savoir. J'ai tiré et l'homme est tombé. Est-ce Vous qui m'avez demandé de faire cela ?... Je reste ainsi. Ma main tremble. Je sue. S'ils me trouvent, c'est que Vous m'abandonnez. S'ils me trouvent, c'est que je suis un assassin, et je ne mérite que les coups. Je ne bouge pas. Je remets ma vie entre Vos mains, Seigneur. Je les entends qui cherchent et tournent et insultent le ciel. Je veux savoir. Je suis collé contre le mur et je ne bouge plus. S'ils viennent par ici, c'est que Vous les guidez. Ils se jetteront sur moi et me dépèceront. Je ne me battrai pas. Qu'il en soit ainsi.

Nous sommes noirs, toujours. Moi, Josephine Linc. Steelson, je n'ai pas l'intention de changer de couleur. Nous roulons vers le Texas. Les gens s'agglutinent sur les routes, le long de notre passage. Une foule d'hommes et de femmes venus là pour témoigner leur solidarité. Ils brandissent de petits drapeaux et secouent les mains pour nous saluer. Ils ont écrit des pancartes qu'ils nous montrent au passage : "Nous ne vous laisserons pas tomber." Je n'ai besoin de personne pour m'aider à me tenir debout. Je les regarde. Nous voient-ils vraiment ?… Ou ne voient-ils que le reflet de leur bonne volonté ?… Nous approchons de l'aéroport de Houston. C'est là, paraît-il, qu'ils vont nous entasser. Le car ralentit. Et sur le bord de la route, je commence à voir les visages changer. Ils nous discernent mieux maintenant, ils peuvent nous compter et voir qu'il n'y a qu'une seule couleur, dans le bus, noir, car nous n'avons pas changé de couleur. Je suis Josephine Linc. Steelson, mère de tous les nègres, et je vois qu'ils comprennent enfin que tous ceux qu'ils ont laissés derrière eux étaient noirs. Ils ont honte. C'est bien. J'ai souvent provoqué la honte dans le regard des autres, je m'en accommode. Qu'ils baissent les yeux. Qu'ils rangent leur pancarte. Nous n'avons besoin de personne, nous sommes noirs et nous savons marcher.

Ils s'éloignent. J'entends leurs voix devenir moins fortes. Ils ne me trouveront pas. Vous êtes avec moi. Plus rien ne peut me faire douter. Je m'en suis remis à Vous et Vous m'avez sauvé. La nuit tombe. Elle me cachera. Je suis un fauve et un chasseur. Je vais poursuivre Votre œuvre. Comme il est facile de tuer un homme. Je suis tout près de Vous, Seigneur, le sentez-Vous ? Je suis une partie de Votre colère. Plus rien maintenant ne peut m'arrêter et je disparais dans la nuit.

Jamais, moi, Josephine Linc. Steelson, je n'ai vu pareil chaos. Le bus s'est arrêté devant l'aéroport et ils nous ont fait descendre. Nous sommes entrés dans le grand hall des départs. Et c'était un amas gigantesque d'hommes et de femmes épuisés. J'entre la dernière et je les embrasse du regard. Mes frères, mes sœurs ridées, mes enfants aux lèvres sèches et aux yeux cernés. Une ville entière se tient là avec des couvertures pour seule richesse. Nous n'avons plus rien. Le drapeau que j'ai gardé me tombe sur les épaules. C'est la bannière de la honte. Les étoiles de l'Amérique ne me tiennent pas chaud ni ne me donnent à manger. Je ne me plains pas. Je veux que le monde voie que moi, Josephine Linc. Steelson, je suis en colère, cent ans de colère inapaisée et que j'apporte partout où je vais une longue traîne de honte et de révolte. Il en a toujours été ainsi. Je regarde le hall rempli de familles, d'enfants et de grelottements et je sais que ce n'est pas ici que je mourrai, car ici, ce n'est rien. Alors, je fais comme toujours, je fais comme j'ai fait lorsqu'ils ont tué Marley en riant, je fais comme j'ai fait lorsque je suis allée les voir en les pointant du doigt et qu'ils m'ont dit de déguerpir comme si j'étais un négrillon venu cirer les chaussures, je fais comme je sais faire, je rentre en moi-même et je jure, avec férocité, que les choses iront telles que je les ai décidées. Je suis Josephine Linc. Steelson, négresse des bayous, je promets que je rentrerai chez moi. C'est ainsi que je vais mourir : quand je l'aurai décidé, sur ma terrasse, libre et noire. Je le dis et ce sera. Que le monde brûle s'il ne m'accorde pas cela.

XI

LA MEUTE

Au matin, il s'est levé doucement. L'enfant dormait encore. Elle aussi. Il lui a murmuré à l'oreille qu'il allait chercher à manger. Il veut essayer les supermarchés, voir s'il n'y a pas encore, sur certaines étagères, quelques boîtes à prendre. Il quitte la maison. Les rues sont comme des fleuves endormis. Il n'y a pas un bruit : ni oiseau ni aucun signe d'activité humaine, comme si le monde avait décidé de se lever en ce jour sans les espèces vivantes. Il y a une concentration et une densité dans ce silence qui l'impressionne. Il contemple la rue inondée. Une chaise flotte, inutile. Des nénuphars aussi, déplacés par le vent. La végétation semble vouloir reprendre ses droits sur la ville. Il se dit que, si tout finissait là, ce serait bien. Après tout. Il est peut-être temps de laisser le monde se libérer des hommes. Que la terre ferme les crevasses dont on l'a perforée, qu'elle aspire à elle le pétrole, le gaz qu'on pompe chaque jour dans ses flancs, que les jacinthes envahissent les rues de La Nouvelle-Orléans et les alligators les rez-de-chaussée des maisons. Après tout. Les hommes ne sont rien mais l'ont oublié depuis si longtemps que chaque soubresaut de la terre leur semble être un cataclysme. Ce n'est qu'un mouvement de vie plus sourd, plus lointain que le leur. Quelque chose au regard duquel leur vie d'homme n'est rien et ne compte pas. Il reste longtemps ainsi. Puis les nénuphars passent devant lui, portés par un très léger courant, comme s'ils l'invitaient à le suivre et il plonge dans l'eau jusqu'à la taille.

Le jour se lève et moi, Josephine Linc. Steelson, je devine que quelque chose se prépare. Alors je sors sur le parking pour flairer le fond de l'air. C'est là. Je le sens. De très loin. Les eaux commencent à baisser. Je le murmure. Je le répète, encore et encore, à voix haute pour qu'ils entendent tous. Les eaux commencent à baisser. Je le sens parce que je porte les marécages en moi et leurs imperceptibles tremblements. Je le sens par ma jeunesse aux pieds nus, par mon mari assassiné qui y gît encore, accroché à une racine ou bloqué sous une souche. Les eaux ont commencé à baisser. Je le dis. Je sais que tout va prendre fin. Ne vous en faites pas pour moi, toute vieille que je sois, car je sais, moi, et vous pouvez me croire, que je rentrerai chez moi. C'est sur vous que je pleure car beaucoup sont là qui ne retrouveront ni leur toit ni leur vie d'autrefois. Moi, Josephine Linc. Steelson, increvable négresse, je vais pouvoir me rasseoir sur ma terrasse, et la chienne ne sera pas venue à bout de moi. Je le dis et c'est ce qui sera.

Les hélicoptères tournent au-dessus de la ville, comme de grosses mouches curieuses. Dès que nous approchons des grilles du jardin, je saute de la barque. J'ai de l'eau jusqu'à la taille. Je regarde Boons et Swinging Louis, ces deux hommes que je n'ai pas choisis mais qui seront les deux derniers avec qui j'aurai partagé un bout de vie. Louis me salue d'un mouvement de la tête, pour me montrer

168

sa mauvaise humeur. Il trouve absurde que je descende ici. Il regarde autour de lui, ne voit que des arbres à demi noyés et des débris flottants et il se dit qu'au fond je suis fou. Je n'ai pas envie de lui expliquer. Je serre la main de Boons. Il me sourit. Je ne perds pas une minute de plus et je leur tourne le dos en direction du jardin. Au bout d'un quart d'heure, je me retourne. La barque est toujours là. Ils n'ont pas bougé. Peut-être hésitent-ils sur le chemin à prendre… Un hélicoptère passe au-dessus d'eux. Une fois. Puis, une autre. Et soudain, j'entends des coups de feu. Swinging Louis vient de vider son chargeur sur l'hélicoptère. Je le vois, debout dans la barque. Il rit. Boons est assis, occupé à compenser les mouvements de Louis pour ne pas basculer. L'hélicoptère fait un grand cercle dans l'air et disparaît. Swinging Louis tire encore. Deux fois. Il ne peut plus s'arrêter. Je reprends ma marche. Je sais comment tout cela finira. Ils reviendront. Peut-être tirera-t-il à nouveau. Peut-être n'en aura-t-il pas le temps cette fois… Je veux être seul et ne compter que sur moi. Cela fait si longtemps. Que Swinging Louis tire, que les hélicoptères passent toujours plus nombreux, qu'ils les traquent et les attrapent, je n'en suis plus.

Il ne va pas jusqu'au supermarché. Sur Caffin Avenue, il découvre un camion en travers de la route. Son visage s'illumine. Il avance avec l'avidité d'un chasseur. C'est un camion de livraison. La porte arrière est fermée. Il essaie plusieurs fois de la forcer mais en vain. Il décide alors de passer par les sièges avant. Lorsqu'il rampe à l'arrière, il découvre avec joie qu'il y a encore un peu de tout dans le véhicule : des paquets de gâteaux, des bouteilles de soda, quelques boîtes de céréales. Il prend le plus qu'il peut, comme un pilleur de tombes, avide et pressé. Puis, il ressort, heureux. L'eau qui lui monte jusqu'à la taille ne lui fait plus rien. Il est bien. Il a trouvé de quoi nourrir Rose et l'enfant, et pour l'instant, son bonheur ne va pas au-delà. Il revient sur ses pas. Lorsqu'il arrive en haut de la rue, il aperçoit, à une dizaine de mètres de la maison, la silhouette d'un homme armé. Son visage se rembrunit. Il pense à un rôdeur. Il serre contre lui ses victuailles, décidé à les défendre bec et ongles s'il le faut. L'homme ne l'a pas encore vu parce qu'il lui tourne le dos. Il devrait se cacher derrière une voiture, attendre le temps nécessaire, rester terré jusqu'à ce que la voie soit libre. Il devrait. Il y pense. Mais il ne prend pas le temps de le faire. Par fatigue, par refus de se cacher, ou parce qu'il va à son destin, il continue à marcher, lentement, bien au centre de la rue.

Je me retourne. Je l'ai entendu arriver dans mon dos. Je le contemple un instant. C'est donc lui, le deuxième. Vous me le présentez dans toute sa laideur. Un pilleur de rue, les mains pleines de ses vols. Il est là. Il voulait m'attaquer sûrement, le lâche. Mais je le vois maintenant. Il se fige. Il vient d'apercevoir mon arme et comprend que j'ai le visage de son châtiment.

Il lève la main, pour montrer qu'il n'y a rien à redouter de lui, qu'il veut juste passer, mais il comprend, au visage de l'autre, que cela ne va pas être aussi simple. Il l'a reconnu, mais ne dit rien. Il pense à cet instant qu'il devrait lui parler, le remercier pour l'enfant, l'homme le reconnaîtrait à son tour et la tension baisserait. Il pense qu'il devrait dire merci et prononcer le mot de révérend, cela aiderait sûrement, mais il ne le fait pas, il fait le contraire de ce qu'il pense être juste de faire, il avance encore d'un pas.

Je le vois marcher sur moi, le nègre, avec ses yeux de voleur, et j'entends Votre voix qui l'accuse, qui me l'offre, là, au milieu de la rue, alors j'arme mon fusil mais il marche encore, comme s'il n'avait pas vu que j'étais armé ou comme s'il ne me croyait pas capable de tirer.

Il avance et, à cet instant, il sent encore qu'il peut tout désarmorcer car il a vu l'homme trembler tandis qu'il le mettait en joue et il sait qu'il pourrait encore lui faire baisser son arme, il suffirait de parler, de dire quelques mots, mais le silence s'est emparé de lui, il y a quelque chose en lui qui ne veut plus rien dire, juste avancer, alors, il fait encore un pas et le coup de feu éclate.

Elle sort sur le perron, avec l'enfant devant elle. Elle sent d'instinct que quelque chose de sa vie vient d'être arraché. Elle pousse un cri. Le révérend se retourne. Il la voit qui le regarde. Dans ses yeux, un temps, passe l'idée qu'il va devoir l'abattre elle aussi, puis son regard tombe sur l'enfant et il le reconnaît. L'enfant le fixe en silence. Le révérend fait une horrible grimace et se mord les lèvres.

L'enfant est revenu... Il me regarde. L'enfant... Je sais qu'il hurle dans son silence : "Honte à toi... Honte à toi..." Il a raison. C'est comme si le ciel s'ouvrait. Je suis un criminel. L'enfant ne me quitte plus des yeux et cela me brûle… Alors je m'enfuis comme un rat, courant à perdre haleine, laissant derrière moi le fusil et Votre nom, Seigneur.

L'homme qui a tiré part en courant. Elle descend le perron jusqu'à avoir de l'eau à la taille. Elle veut atteindre Keanu, mais tout est lent et elle n'avance qu'à petits pas. Elle va jusqu'à lui et son corps est lourd dans l'eau. Elle le soulève et le serre. Elle le ramène à la maison, laissant derrière elle des traînées de sang qui se mêlent au courant.

Je cours sans répit, mais je trébuche et m'aplatis de tout mon long, la face dans l'eau trouble. Oh, je comprends. Mes doigts sont souillés de sang et je devrais me crever les yeux. Je ne peux plus prononcer Votre nom de peur de le salir. A moins que ce ne soit Vous qui m'ayez trompé. Je suis un rat. L'odeur du crime me devance partout où je vais. Je cours. Je m'éloigne. Je voudrais m'échapper et tout oublier. Je voudrais revenir à l'église que je n'aurais jamais dû quitter mais l'enfant me regarde et il me condamne… Je me relève. Il faut reprendre la course, mettre le plus de distance entre le corps et moi. J'ai peur de tout et je cours toujours plus vite. Je suis un démon. J'ai tué. Je le dis aux façades et aux carcasses de voitures que je dépasse. J'ai tué. Je le dis aux flaques sales mais cela n'a pas d'importance. L'enfant le sait. Il ne me quitte pas, lui. Où que je sois, il est dans mon crâne.

Il ne sent pas de douleur. Au début, oui. Un éclair de feu au ventre, une brûlure des chairs, comme si on lui avait plongé un tison dans les tripes, mais plus maintenant. Il a soif. Sa langue, son palais, ses yeux même sont secs. Il voudrait demander de l'eau, il croit qu'il en demande, mais en réalité, ses lèvres bougent à peine. Il la voit, au-dessus de lui, le visage bouffi d'émotion. Il la voit qui sue. Sa bouche est grande ouverte. Elle doit être en train de crier mais pourquoi n'entend-il rien ?... Il s'évanouit, un temps. Lorsqu'il rouvre les yeux, quelques secondes ou quelques minutes plus tard, il est incapable de le dire, elle souffle en le portant à bras-le-corps. Il doit être lourd à extraire des eaux. Il essaie d'aider comme il peut, de porter son propre poids, mais il a l'impression de ne plus sentir son corps et de ne plus très bien savoir comment lui ordonner de se lever. Il la voit qui lui tape sur les joues, pour qu'il ne s'évanouisse pas à nouveau. Il est dans la maison maintenant. Elle le manipule. Il voit le sang qu'il laisse partout sur ses mains à elle, sur ses habits, il voit la terreur qu'il provoque sur son visage, il voudrait lui parler, mais il n'a pas de force. Il la regarde, il ne peut faire que cela. Il la regarde, la bouche légèrement tordue par la douleur et les yeux grands ouverts pour ne rien perdre d'elle car il sait que les minutes lui sont comptées.

Je les entends de loin et je sais qu'ils viennent pour moi. C'est un bruit sourd d'écailles et de frottements. Je presse le pas, mais ils se rapprochent sans cesse. Il me faut une rue sèche mais je n'en trouve pas. Plus ils approchent, plus je sens qu'ils sont nombreux. Je me mets à courir mais je ne suis pas assez rapide. Rien ne les distance. Dans Claiborne Avenue, je me retourne. Ils sont là, à cinq cents mètres de moi. Il y en a des dizaines. Ce sont d'énormes bêtes qui se montent les unes sur les autres et avancent à toute vitesse. J'entends leurs gueules s'ouvrir et claquer. C'est une meute entière qui vagit. On dirait que l'avenue s'est mise en mouvement. Tout scintille d'écailles et de crocs. Ils avancent comme s'ils ne cherchaient que moi. Je sais que c'est Vous, Seigneur. Je sais que Vous êtes en eux, que c'est Vous qui leur piquez les flancs pour qu'ils aillent plus vite. Vous parlez : j'entends Votre haine dans leurs vagissements. Je cours comme un dératé. L'avenue est longue, infiniment longue. Je n'ai plus de souffle. Je cherche une rue sèche, c'est ma seule chance, mais il n'y en a plus. Rien ne peut plus me sauver. Alors, je m'arrête. Je veux reprendre mon souffle mais, même cela, je n'en ai plus le temps. La première bête se jette sur moi, avant que je ne me sois tout à fait retourné et me fait tomber à terre. Une autre me mord à la jambe. Je bats des pieds, mais il est trop tard. Je n'entends, partout autour de moi, que le claquement de leurs mâchoires et le grognement de leurs gueules. J'essaie de protéger mon visage mais ils sont trop nombreux. Ils me montent dessus, me mordent, me déchirent, me tuent à vif. J'ai mal. Je supplie, je hurle. Ils ne me lâchent plus. Je les sens tirer sur mes chairs, me lécher le sang. Je les sens se disputer mon corps. Je suis ouvert aux alligators. Il n'y a pas de repos, je vais hurler longtemps dans la mort. Je n'entends plus que leur bourdonnement sauvage sur moi et la douleur, ô Dieu, la douleur.

J'approche des bayous, lentement. L'eau est lourde autour de moi et sale de tant de terre retournée. Les saules pleureurs semblent m'attendre. Avant d'entrer dans le lacis d'arbres noyés et de plantes flottantes, j'aperçois encore deux hélicoptères qui survolent les quartiers nord. Ils ratissent la zone.

Je baisse la tête par crainte qu'ils ne me voient mais ce n'est pas ce qu'ils cherchent. Ils passent à basse altitude et laissent derrière eux de grands filets de nuages blancs qui tombent doucement, avec la lenteur de la poussière, sur les toits, les rues et les eaux stagnantes. C'est du pesticide. Ils nous aspergent de pesticide. Ils ne nous cherchent pas, ils nous lavent pour que nous ne soyons pas contagieux. Ils nous aspergent parce qu'ils ont peur de nous, peur que nous ne finissions par être nocifs. Personne ne viendra nous sauver. S'ils entrent un jour dans la ville, lorsque l'eau aura reflué et que nous serons devenus des bêtes chevelues qui mangent les pousses d'herbe, ils nous abattront par peur qu'il n'y ait en nous quelque chose de contagieux. Le pesticide tombe doucement sur mes cheveux, sur mon visage. Je crache. Il n'y a pas de salut. Je ne reviendrai pas. Je vais poursuivre, m'enfoncer dans les bayous jusqu'à être hors de portée du monde. *La tombe humide.* C'est comme ça que ma vieille tante parlait de La Nouvelle-Orléans. *La tombe humide.* J'y suis. Je vais vivre encore, le plus longtemps possible. Seul. Je me cacherai. Tant d'autres, avant moi, sont venus ici, le souffle court, la mine affolée. Tant d'autres. Il m'arrivera ce qui leur est arrivé chaque fois. Je tiendrai d'abord. Les bayous me cacheront, puis ils m'useront. Alors je me dessécherai. Les piqûres de moustiques me rendront fou et j'aurai soif, sans cesse. C'est ainsi que finissent les hommes comme moi. Je vais rejoindre le peuple des corps qui flottent au ras des marais, le dos mangé de piqûres d'insectes, les jambes disloquées par les mâchoires des alligators. Tant d'autres sont morts ainsi, avant moi, nègres pourchassés, esclaves évadés, voleurs en cavale… Cela ne me fait pas peur. Je me suis affranchi de Parish Prison, de Tockpick, de la barque et des hélicoptères.

Je suis libre. Il m'aura été donné de connaître cela, à nouveau. Je vais souffrir peut-être, mais ce sera loin de la ville. Je ne reviendrai pas en arrière. Je ne me rendrai pas s'ils me trouvent. Tout cela est derrière moi. Ici commence ma grande liberté. Je suis là, au milieu des jacinthes fanées, oublieux de ma vie, seul pour la première fois, libéré du monde et apaisé.

XII

LE CHANT NÉGRESSE

La douleur est revenue, d'un coup, et, avec elle, les sons qui l'entourent et la faculté de parler. Il a gémi. Il s'est tordu dans le lit où elle avait réussi à le hisser. Il l'entend qui pleure, qui le supplie de tenir. Elle va d'un point à un autre de la pièce, cherche des médicaments qu'elle ne trouve pas, revient, effrayée de ce qu'elle voit, se tord les mains, parle un peu et repart. Il voudrait lui dire de ne pas se tourmenter. Il voudrait dire "Rose", prononcer son nom à nouveau. Il enrage de mourir parce qu'elle est là, désormais, et qu'il voudrait pouvoir passer de longues heures à ses côtés. Il ne pourra pas. Il sent qu'il meurt. Mais il est heureux de l'avoir retrouvée. Il est heureux. La plate-forme n'est plus en lui. Elle n'aura été qu'une parenthèse de six ans. Il est revenu à Rose et le reste est balayé. La tempête lui a offert cela. Si souvent il a eu peur que sa vie ne soit qu'une succession de jours, vidée de sens. Si souvent, il s'est senti inutile et lent. Aujourd'hui il y a ce nom, Rose, qui chasse l'ennui des jours infinis. Il y a Rose. Il voudrait lui dire que cela rachète tout et qu'il ne faut pas pleurer. Il voudrait lui dire que, grâce à elle, sa vie est gagnée. Et puis, d'un coup, c'est elle qui s'assoit à son chevet. Elle a changé. Elle est devenue calme subitement, et résolue. Peut-être quelque chose vient-il de lui faire comprendre qu'il allait mourir et qu'il n'y avait rien qui puisse être fait. Elle le regarde droit dans les yeux et elle parle, sans plus jamais s'arrêter.

Moi, Josephine Linc. Steelson, négresse obstinée à rester négresse, je sais maintenant où tout finira. Je n'irai pas dans les bayous, à la recherche du corps de Marley qui n'y est plus, qui s'est fait dévorer par les alligators et le temps, je n'irai pas parce que ce n'est pas ce qu'il aurait voulu. Je ne retrousserai pas ma jupe pour enfoncer mes vieilles quilles dans les marais en poussant d'une branche les nénuphars qui m'entourent, parce que ces jambes qui charmaient autrefois les alligators sont devenues laides. Elles seront odieuses aux serpents d'eau et ils me mordront. Je n'irai pas parce que je ne retrouverai pas Marley. La fidélité n'est pas là. Je sais ce que je dois faire. Mon vieux crâne entêté a mis du temps à le comprendre mais je le sais maintenant. Je me lève dans le hall surpeuplé de l'aéroport, je pousse la double porte vitrée et je fais quelques pas dehors. Il pleut d'une pluie lourde qui vous lave de vos fautes. Je vais revenir. Moi, Josephine Linc. Steelson, je vais tenir coûte que coûte, jusqu'à pouvoir prendre un bus, refaire toute la route en sens inverse et descendre devant chez moi. Et lorsque je serai arrivée, je me passerai la main sur le visage pour essuyer la sueur du voyage, et je pousserai la porte de ma maison. Tout sera sens dessus dessous, je sais. Je n'y ferai pas attention. J'enjamberai les chaises. Je ne perdrai pas de temps à chasser les oiseaux réfugiés dans la cuisine. J'irai droit au premier étage. J'ouvrirai la porte-fenêtre qui donne sur la terrasse – à moins qu'elle n'ait volé en éclats – et je m'assoirai sur le rocking-chair. J'espère qu'il restera le rocking-chair, c'est tout ce dont j'ai besoin. Je m'assoirai. J'envelopperai du regard la rue et ma vie, une longue vie de négresse têtue, et je mourrai. C'est ce que voudrait Marley. Je mourrai avec lui sur les lèvres, sur ma terrasse, seule, libre et nègre en pensant au jeune homme beau qu'il a été. Marley n'aurait rien à faire d'une vieille folle qui marche pieds nus dans les marécages. Il me veut chez moi, je le sais, dans la vie que nous avions tant rêvé d'avoir. Ce sera la fin. La pluie me tombe sur les cheveux. Je suis heureuse. J'ai décidé de ma vie. Il va falloir être patiente maintenant. Je le serai. Je laisse la pluie me lécher pour qu'elle garde le souvenir de mon odeur de vieille négresse usée et je retourne dans le hall. Je ne suis plus utile à rien pour tous ceux qui m'entourent, ces hommes et femmes qui vivent dans l'angoisse, mais je peux chanter. Oh oui, Josephine Linc. Steelson peut figer l'air de sa simple voix qui charrie tant de douleurs et de vieux combats. Alors je le fais, je chante et tout s'arrête.

Elle dit tout, car elle se souvient de ces instants où c'est lui qui a parlé et elle sent que c'est son tour. Elle parle, au début, sans le regarder parce que croiser ses yeux la fait trébucher dans son récit, alors elle baisse la tête et parle. Elle raconte qu'après son départ, il y a six ans, elle s'est sentie vide, comme si la vie l'avait quittée. Tout le reste à venir, lui semblait-il, n'allait être qu'ennui. Elle dit qu'elle est restée longtemps ainsi, arrêtée, et qu'elle serait bien incapable de dire si cela a duré des semaines ou des mois. Et puis Mike est arrivé et elle a été contente que quelqu'un la regarde. Elle sait que le plus dur est encore à raconter. Elle reprend son souffle. Il est là, immobile, allongé. Il écoute. Cela, elle le sent. Malgré la douleur. Et c'est encore une raison de l'aimer. Elle dit tout alors et étrangement, plus elle parle, plus elle prend du courage jusqu'à relever les yeux et ne plus avoir honte du tout. Elle parle de cette nuit – une des dernières où elle ait couché avec Mike. Ils avaient déjà commencé à se détester, elle savait déjà qu'il faudrait partir mais elle n'en avait pas la force. Une nuit, encore, ils ont couché ensemble. Elle lui parle de cela et il écoute calmement. Elle dit que cela avait été dur et sans plaisir, son odeur sur elle qui la dégoûtait, son poids qui lui faisait mal au ventre, le contact de sa sueur qui la révulsait. Elle était sèche. Il la regardait de plus en plus violemment au fur et à mesure qu'ils faisaient l'amour, furieux, sûrement, qu'elle ne se torde pas de plaisir, de plus en plus pressant car sa jouissance à lui montait, jusqu'à ce qu'il l'agrippe avec violence et tant pis si elle n'était qu'un bout de viande inerte, tant mieux même, car peut-être était-ce justement de cela qu'il jouissait. Elle raconte qu'il avait grogné, s'était cabré et elle avait senti qu'il jouissait en elle. Alors, elle l'avait repoussé pour qu'il sorte de son corps, le plus vite possible. Elle l'avait repoussé à l'instant où il était faible et aurait aimé rester encore un peu, d'un petit geste sec, elle l'avait repoussé et c'était comme une gifle.

Moi, Josephine Linc. Steelson, vieille négresse à la voix voilée par toute une vie de combats, je chante. C'est ma façon à moi de caresser le visage de tous ceux que j'ai devant les yeux. C'est ma façon à moi de sécher les rues de La Nouvelle-Orléans et de redresser les arbres couchés des marécages. C'est ma façon à moi de souffler plus fort que le vent.

Elle raconte qu'il avait eu alors un geste dont elle se souviendra toujours, un geste de vengeance silencieuse, un geste sale qui l'avilissait encore, qui l'avait coupée en deux comme un coup de poing au ventre, et depuis, elle n'avait jamais tout à fait retrouvé son souffle. Il s'était levé du lit en lui tournant le dos, furieux de sa froideur, honteux de sa jouissance à lui, et pour retourner le geste qu'elle avait eu, il avait sorti trois billets de sa poche et les avait jetés sur le lit. Elle se souvient encore – et elle le lui dit – du doux contact des billets tombant sur son ventre. Trois billets de dix dollars. Il était parti sans un mot, la laissant à cette souillure, face à la laideur de cette solitude, trois billets qui l'avaient écrasée pendant des années de leur poids nauséeux et rien n'effaçait cela, la cruauté de ce geste.

Je chante parce qu'il m'a été donné de savoir faire pleurer les arbres avec ma voix. Je chante des chansons qu'ils ont oubliées ou n'ont jamais connues – parce qu'ils sont trop jeunes, mais ma voix, du moins, ma voix, ils la reconnaissent. C'est celle de Josephine Linc. Steelson, la dernière négresse debout, qui pleure sur ses frères et sœurs, sur la douleur de cette humanité de négrillon qui ne trouve jamais la paix. C'est celle de nos terres du Sud que nous avons quittées et qui nous manquent, parce qu'elles nous ont torturés de leur parfum et parce que nous voulons y mourir pour être aux côtés de cette longue lignée de nègres déchirés qui sont nos aïeux. Il n'y a que cela qui ait du sens, cette voix, qui leur rappelle à tous, jusqu'à en pleurer, que la fidélité ne s'oublie pas, la fidélité à sa terre, à sa douleur, au vieux chant lui-même qui se transmet de bouche en bouche malgré la fatigue de l'humanité.

Elle reprend son souffle. Il la regarde avec de grands yeux désolés. Elle sait qu'il ne la juge pas. Elle sait qu'il pleure sur ce qu'elle a traversé. Elle voit qu'il croit à cet instant que c'est fini, qu'elle a tout dit, mais le plus dur est à raconter, alors elle poursuit car elle veut qu'il sache tout. Elle dit que, plus tard, elle a su qu'elle était enceinte et la souillure s'est rappelée à elle. Ce ne pouvait être que de Mike, elle le savait, elle s'est tordu les bras souvent, le soir, à la fenêtre de chez elle, à cause de cette certitude-là, que ce ne pouvait être que son enfant à lui. Mais le pire, c'est qu'elle a toujours pensé que c'était de cette nuit-là – la nuit où elle était pute, la nuit où Mike l'avait salie de trois billets, que c'était cette nuit-là qu'elle était tombée enceinte. Elle dit qu'elle en est sûre, encore aujourd'hui, et lorsqu'elle le dit, sa voix se casse. C'est ce jour-là où il a fait l'amour seul dans son corps à elle, c'est ce jour de dégoût qu'il l'a engrossée. Et l'enfant est né de cela, d'une mère sèche que l'on avait payée par dérision. L'enfant bâtard est né de cette gifle-là. Elle le dit avec sa voix sourde, elle dit qu'elle ne peut pas l'oublier. Quand elle le voit, les trois billets ressurgissent et la lenteur satisfaite avec laquelle il se rhabillait, quand elle le voit, elle se retrouve sur ce lit, ouverte et sale.

Les femmes pleureront, mais elles se relèveront. Je le dis, moi, Josephine Linc. Steelson, car je l'ai vu mille fois. Les hommes mourront mais il en viendra d'autres que nous élèverons dans le souvenir des premiers. Je chante avec ma voix venue de loin et les familles tournent la tête vers moi. Les enfants cessent de crier. La faim ne leur tiraille plus le ventre. Ils me regardent. Ils veulent que ma voix continue à emplir le hall car c'est la seule chose

qui les réchauffe, alors je continue, je suis increvable, et jamais personne ne me fera renoncer.

Elle a tout dit et reste, sur le bord du lit, comme
épuisée. Elle n'ose plus le regarder. Elle sait que le
dégoût a peut-être changé son visage et elle ne
veut pas voir cela. Mais elle entend sa voix, une
voix calme, assurée, qui lui répond, malgré la faiblesse du corps, qui lui répond, malgré la mort qui
gagne dans les membres, elle entend sa voix chaude
qui lui dit qu'elle s'est trompée. Juste cela. "Tu t'es
trompée." Elle tourne la tête, les yeux suppliant pour
qu'il explique. Il la voit. Il l'embrasse des yeux et
ajoute : "C'est mon fils." Juste cela. Elle a un hoquet
de bonheur. Elle fait oui de la tête et se met à pleurer. C'est si simple et il a tellement raison, c'est son
fils à lui, le reste, tout le reste est balayé.

Dans l'instant infini de la mort, entre le moment
où il ferme les yeux et relâche la main qui s'accro-
chait jusqu'alors aux draps et celui où ses yeux
se vident et où la vie le quitte, dans l'instant infini
où l'homme meurt, il pense à ce qu'il fut. Pour le
monde qui l'entoure, il est mort. Elle s'est levée,
déjà, sans pouvoir contenir des hoquets de tristesse,
elle s'est levée et est allée voir l'enfant dans la chambre à côté pour le serrer fort dans ses bras et lui
reste seul, dans le silence des choses qui s'achèvent.
Il sourit en son âme, il va mourir, il est triste de
quitter Rose et sa vie, mais les peurs se sont éloi-
gnées, toutes les peurs qui le harcelaient et faisaient
de sa vie une succession d'angoisses ont disparu.
Il ne pense plus à la plate-forme. Il ne pense plus
à sa vie comme à une existence inutile et lourde,
il y a Rose. Il a eu le temps de revenir à elle. Il est

plein de cette seule idée. "Fidèle", dit-il entre ses dents, fidèle car il lui a été donné de l'être, et c'est avec ce mot qu'il veut partir, c'est ce mot qu'il veut laisser dans la chambre de sa mort pour qu'elle s'en imprègne lorsqu'elle reviendra, fidèle aux déchirements des flots et au ciel qui craque, car sans le chaos du monde, il ne serait pas revenu. "Fidèle", il meurt avec ce mot, les yeux ouverts, soulagé de ne pas finir comme un chien recroquevillé sur une mauvaise blessure un jour de pluie au milieu des camarades embarrassés qui ne savent que dire tandis que la plate-forme tangue et continue de pomper du pétrole, ou avachi sur un trottoir de Houston, plein d'alcool et de déception, un soir d'hiver où personne ne le remarque, il meurt avec ce mot, fidèle, et plus rien n'a été vain. O dernier jour d'une vie, dernières secondes où le corps est encore animé d'un éclat, même faible, même vacillant, ô derniers instants qu'il bénit en prononçant son nom à elle, Rose, avant de retourner au néant.

Elle regarde son fils, le bâtard de vie qui ne lui était rien et il a un nom dorénavant, pour elle, il a un nom, c'est l'enfant de la tempête, l'enfant offert par Keanu Burns au moment de mourir, le reste est balayé, elle sait qu'elle ne le regardera plus avec dégoût, il a un nom maintenant et elle l'appellera fils en pensant à cet homme, elle le verra grandir en pensant à cet homme, il a une histoire car il est né, enfin, il est né six ans après être sorti d'elle, de son corps endolori, il est né parce que quelqu'un qu'elle aimait le lui a donné, alors elle le reçoit, seule, dans cette chambre d'enfant, tandis que le corps de son amour se raidit de mort dans la chambre d'à côté, elle le reçoit, les pales d'un hélicoptère grondent au-dessus de la maison, pour l'heure elle n'y fait pas attention, elle regarde son fils qui vient de naître, et je chante, moi, Josephine Linc. Steelson, je chante la douleur des terres perdues et des maisons détruites et les femmes pleurent en entendant ma voix, mais je fais plus, car je n'ai jamais aimé les pleurs, je chante la force de se relever et le désir de combat, et ma voix se fait plus rocailleuse et on entend, dans la hargne avec laquelle je détache les syllabes quand je chante, le nègre exploité, la mère endeuillée, on entend que je suis habituée à cela, et ma force couvre tous les bruits du grand hall, ma force couvre les bruits des hélicoptères qui tournent au-dessus de notre ville à la recherche de survivants, elle ne prête pas attention au bruit des pales, mais elle sursaute d'un coup, lorsqu'elle entend le haut-parleur qui demande s'il y a quelqu'un, qui demande si quelqu'un est encore là, alors elle sait que tout va prendre fin, elle sait qu'elle va apparaître à la fenêtre et qu'on la tirera de là, elle et son fils, et je chante moi, de ma voix de colère sur les rues inondées, je chante sur les visages épuisés pour qu'ils soient au moins caressés une fois, elle sait qu'elle va s'éloigner et que, dans l'hélicoptère, on lui mettra une couverture sur les épaules et une autre sur celles de son fils, on lui donnera de quoi manger et boire et on la pressera de questions, elle sait qu'ils lui expliqueront qu'ils ne peuvent pas prendre le corps du mort parce que le plus urgent est de se consacrer aux survivants, alors je chante, moi, sur les morts qui disparaissent dans les rues inondées, le corps mou et les bras flottant dans l'eau sale, elle sait qu'ils la regarderont avec une sorte de pitié et peut-être un d'entre eux lui dira qu'elle a traversé l'enfer comme pour lui faire comprendre qu'il compatit, elle lèvera les yeux alors, mais elle ne pourra pas dire ce qu'elle voudra dire, car ce serait trop long, parce que le bruit des pales obligerait à hurler, elle ne pourra pas dire qu'elle quitte l'ouragan à regret, parce qu'il lui a donné un homme, au cœur de la pluie, un homme avec de larges épaules et un souffle posé, elle ne dira rien, mais je chante moi, et ne vous apitoyez pas, je chante et je suis debout, je suis née ainsi, debout, ma mère le sait bien qui m'a regardée avec stupeur car petite déjà elle a vu qu'il y avait tant de colère en moi qu'il était à parier que j'en déborderais toute ma vie, je chante pour dire que la vieille colère séchée sur nos peaux par le soleil de la soumission brûle encore, nous n'oublions pas les années de crachats et de peur, les années de regards baissés et de frustration, mais ils ne peuvent pas comprendre, non, ils ne pourront pas comprendre, tous, ils parleront désormais de cet ouragan comme d'un cataclysme, et pour elle, ce sera aussi la naissance de son fils et sa vie retrouvée, elle le sait, elle est pleine du visage de Keanu Burns, la ville en dessous paraît laide, comme une flaque d'eau souillée, elle quitte ce qu'elle a aimé, les heures de la nuit où il était face à elle, accroupi contre le mur d'en face, et je chante pour dire que j'ai faim, oh oui, un appétit de siècles malgré mon âge de vieille mule éreintée, j'ai faim, moi, la négresse, et je suis fidèle à cela – c'est la faim qui me tient droite, je veux rentrer et je rentrerai, je veux être libre, la Louisiane m'attend, quelque chose manque à la terre de là-bas si nous n'y sommes pas, elle pense à cela, dans l'hélicoptère, elle n'écoute plus les mots de l'homme en face d'elle qui essaie de la rassurer et d'être prévenant, elle ferme les yeux et entend un vieux chant qui lui fait du bien, c'est le mien, celui des bayous qui charmait les grenouilles, c'est le mien et tu peux t'y adosser car je suis solide et je porterai mes sœurs, elle ferme les yeux, elle a un fils, maintenant, un fils, avec fierté, je porterai mes

sœurs, moi, Josephine Linc. Steelson, toute négresse
que je sois, malgré mes cent ans passés car le ciel
s'est ouvert et nous avons fait face à notre propre
nudité, je porterai les enfants effrayés, ma voix les
rassurera et lorsque je mourrai, libre, sur ma terrasse,
toujours négresse, à l'instant que j'aurai choisi, lorsque je mourrai, souvenez-vous de moi et gardez le
regard droit.

Merci de tout cœur à Pierre et Anne-Marie Cousin, ainsi qu'à Bernard Hermann.

TABLE

BABEL

Extrait du catalogue

Achevé d'imprimer en juin 2014 par Normandie Roto Impression s.a.s. 61250 Lonrai sur papier fabriqué à partir de bois provenant de forêts gérées durablement pour le compte d'ACTES SUD, Le Méjan, Place Nina-Berberova, 13200 Arles.
Dépôt légal 2e édition : août 2013.
N° impr. : 1402249
(Imprimé en France)